SO-BCK-656

MOINE DES CITÉS

À Caroline Hutchinson
et son père
en souvenir de la France !
God bless you !

Henry Quinson

Conférence du 15/4/09 d'Henry Quinson au Temple
Protestant d'Aubagne, avec toute notre
affection à notre Fille adoptive d'un été (1980)
et à ses Femmilles; Ascendantes et descendantes
Jeannine POGGI-ROLLAND Pierre
Big bisous
Janine

Henry QUINSON

MOINE DES CITÉS

de Wall Street
aux Quartiers-Nord de Marseille

récit

6e édition

30e mille

nouvelle cité

Composition : Nouvelle Cité
Couverture : Laurent Boudre

Illustrations de couverture :
p. 1, portrait d'Henry Quinson (photo Sylvie Horguelin), sur fond des Quartiers-Nord de Marseille (photo Anne Van Der Stegen)
Cahier-photos et photos de couverture © Fraternité Saint Paul

© Nouvelle Cité 2008
Domaine d'Arny – 91680 Bruyères-le-Châtel

ISBN 9782853135467

À mes grands-parents,
Suzanne (1907-2007) et Louis (1902-1973) Quinson,
Paulette (1911-2000) et Raymond (1908-2001) Chanay,
en reconnaissance pour la Vie reçue.

À tous ceux qui communient
et participent à l'aventure de la Fraternité.

À ceux qui écriront par leur vie la suite de ce livre.

L'intérieur caché métamorphosera complètement l'extérieur apparent.

Grégoire de Nysse
Septième discours sur les Béatitudes

L'existence charnelle de l'homme est donnée.
Elle s'impose à lui comme un fait irrévocable.
Mais le sens de cette existence n'est pas donné.
C'est à lui de le découvrir.
L'homme est jeté dans une sorte d'au-delà
où il faut tout inventer pour ne rien subir.

Maurice Zundel
Les Conférences du Cénacle

En créant la vie, Dieu n'a pas créé un monument.
Il a créé la vie croissante, dynamique, évolutive,
mouvementée, féconde.
Toute vie qui naît de la Parole de Dieu,
parole toujours créatrice,
est croissante, dynamique, évolutive, mouvementée, féconde.

Madeleine Delbrêl
La Joie de croire

Remerciements

Je remercie toutes celles et tous ceux qui m'ont aidé à réaliser ce livre. J'exprime ma reconnaissance toute particulière à Karim De Broucker, Jean-Michel Beulin, Gaultier Martin, Jean-Pol Lejeune, Jean Lahondes, Paul Laplane, Ninon Bozzetto, Sylvie Horguelin, Marie Murat et Carine Rabier pour leurs corrections et suggestions. Toutes les insuffisances qui subsistent me sont totalement imputables. Des informations complémentaires se trouvent sur notre site http://pagesperso-orange.fr/frat.st.paul/. Je me tiens à la disposition des lecteurs à l'adresse électronique suivante : henry.quinson@orange.fr.

Avertissement au lecteur

Par souci de discrétion, les noms de la plupart des personnes figurant dans ce récit ont été modifiés.

AVANT-PROPOS

Moine des cités : une contradiction dans les termes ? Des oasis de prière et d'hospitalité peuvent-elles naître dans l'effervescence des nouveaux quartiers bigarrés de nos grandes villes ? Par quel miracle ? À l'heure de la « crise des banlieues » et du « choc des civilisations », beaucoup de personnes, intriguées par mes choix de vie, m'ont pressé d'écrire un livre sur mon cheminement spirituel. Elles veulent savoir ce qui m'a conduit, il y a plus de dix ans, à venir habiter une cité HLM marseillaise. De fait, rien ne me prédisposait à ce choix.

En France, le mouvement du « nouveau monachisme [1] », qui suscite tant d'intérêt aux États-Unis, est encore méconnu. L'expression vient du théologien anabaptiste Jonathan Wilson. Dans son livre *Vivre sa foi dans un monde fragmenté* paru en 1998 [2], il répond au philosophe Alasdair MacIntyre. Ce dernier en appelait, dès 1991,

---

(1) Pour plus de précisions, lire l'annexe 2 en fin d'ouvrage.
(2) Jonathan WILSON, *Living Faithfully in a Fragmented World : Lessons for the Church from Macintyre's After Virtue (Christian Mission and Modern Culture)*, Trinity Press International 1998.

9

à la constitution de communautés locales capables de maintenir et de développer des foyers de culture exigeante et fraternelle en des temps gagnés par le nihilisme et la loi du plus fort. Il disait attendre « *un nouveau saint Benoît, même s'il sera forcément différent* ».

Jonathan Wilson pense que les chrétiens sont capables de relever le défi. Aujourd'hui, l'un des jeunes représentants de ce mouvement est Shane Claiborne, dont le livre *La Révolution irrésistible* [3], publié en 2006, a connu un retentissement notable outre-Atlantique. Sa communauté, *The Simple Way,* s'inscrit, à Philadelphie, dans le réseau plus large de ce monachisme urbain inséré dans les quartiers défavorisés.

Un tel mouvement pose question. Pourquoi vivre dans des cités réputées maudites? Pour beaucoup, la ségrégation ethnique, sociale et religieuse est une fatalité. Pourtant, l'heure n'est-elle pas à l'émancipation de mentalités archaïques et figées qui dressent les groupes humains les uns contre les autres? Grâce aux sciences et aux techniques, notre représentation du monde évolue. Ne sommes-nous pas sur le point d'accéder à un stade de conscience universelle jamais égalé? Nos comportements sont en jeu. Comment articuler de manière convaincante vie spirituelle, vie professionnelle, vie communautaire et fraternité universelle dans ce nouveau contexte citadin et mondialisé?

Pour répondre à ces questions et à bien d'autres, mon éditeur, Henri-Louis Roche, m'a demandé de raconter mon parcours énigmatique. Il témoigne de la puissance du Souffle de métamorphose qui transforme l'univers. C'est ce Souffle vital qui m'a fait quitter, à vingt-huit ans, une carrière lucrative de banquier international pour une aventure qui m'étonne encore aujourd'hui.

---

(3) Shane CLAIBORNE, *The Irresistible Revolution, Living as an Ordinary Radical*, Zondervan 2006.

MÉTAMORPHOSES
DU DEDANS

*« Ne prenez pas pour modèle le monde présent,
mais transformez-vous en renouvelant votre façon de penser
pour savoir reconnaître quelle est la volonté de Dieu :
ce qui est bon. »*
(Rm 12,2)

ACCOUCHEMENT DIFFÉRÉ

Vendredi 3 mars 1989. Il est 20 heures. On vient de sonner à la porte de mon appartement parisien, avenue Bosquet, dans le 7ᵉ arrondissement. J'ai quitté la banque plus tôt que d'habitude pour préparer le repas en l'honneur de mon invité du jour. Marc Barral est le curé de ma paroisse. C'est la première fois que j'invite un prêtre chez moi. J'ai quelque chose de très important à lui dire. Quelque chose qui me tient à cœur, une question difficile à formuler et terriblement dérangeante.

J'ouvre la porte. « *Bonsoir, Henry !* » Je réponds mécaniquement, puis offre un verre à mon hôte. Après avoir admiré la Tour Eiffel illuminée depuis mon balcon, il me demande si la Bourse est remontée depuis le crash de novembre 1987. J'étais alors à Wall Street en formation chez Bankers Trust, où mon père a travaillé pendant plus de vingt ans. Natif de Norwich, dans le Connecticut, diplômé de Williams, dans le Massachusetts, il a commencé sa carrière à New York. Mon père est franco-américain, mais ma mère est française, ce qui explique que nous soyons revenus en Europe en 1966, à Bruxelles d'abord, puis à Paris.

Je réalise assez vite que mon invité n'est pas un passionné du NASDAQ ni du CAC 40. Je réponds donc le plus brièvement possible à sa question sur l'état financier de la planète et sur mon sort personnel. Oui, tout est rentré dans l'ordre et, pour ce qui me concerne, tout va bien. Très bien même! Les années 1980 ont vu fleurir des innovations majeures sur tous les marchés, créant un gigantesque appel d'air dans lequel les jeunes diplômés des « grandes écoles » se sont engouffrés. Je travaille avec des polytechniciens, des énarques [4], des HEC, des ESSEC et des Sciences Po Paris – race à laquelle j'appartiens.

Dans ce petit univers cosmopolite, où être franco-américain et bilingue passe inaperçu, on gagne beaucoup d'argent. La compagnie financière de Suez essaie de suivre la folle spirale des salaires et des primes de performance des banques d'affaires américaines. Les chasseurs de têtes sont à l'affût. Je suis mis à prix. La salle des marchés où je travaille est une tirelire secouée par un torrent de statistiques économiques et financières. Le stress est continuel. C'est le prix à payer pour bâtir une société efficace et jouir d'un pouvoir d'achat conséquent.

Nous passons à table. La conversation tourne maintenant autour de la situation politique. J'ai aussi travaillé, à mes heures perdues, pour l'élection de Raymond Barre à la présidence de la République. La course de chevaux battait encore son plein il y a un an. Avec le responsable des « jeunes barristes » [5], j'avais produit un disque intitulé *Barre Rock*. Le quotidien *Libération* avait commenté : « *Barre élu sur 45 tours* ». Un seul avait suffi pour éliminer mon candidat, le 8 mai 1988.

---

(4) Parmi ces énarques, Pierre Duquesne, fils du journaliste Jacques Duquesne, deviendra conseiller auprès du Premier ministre Lionel Jospin, puis administrateur au FMI.
(5) François Ivernel, devenu directeur général adjoint des films Pathé.

Le microcosme politique avait aussitôt souligné l'échec d'une stratégie non partisane [6] et salué l'habileté manœuvrière de François Mitterrand. En privé, Raymond Barre avait reconnu son manque d'« *instinct viscéral* » pour le combat politique et l'absence de « *professionnalisme* » dans sa campagne. Pour ma part, après un voyage de quinze jours dans l'Océan indien, je trouvais enfin du temps pour ma « vie spirituelle ».

Ce soir, j'espère pouvoir parler au père Barral de ce qui m'est arrivé il y a deux mois, le dimanche 8 janvier 1989. Mais comment évoquer ce moment mystérieux, qui m'en rappelle un autre plus lointain ? Et qu'est-ce qu'il signifie pour moi aujourd'hui ? Alors que l'heure tourne, j'arrive enfin à parler « religion ». Mais c'est pour dresser un tableau des mérites comparés du bouddhisme tibétain, de l'hindouisme de Gandhi, de l'islam soufi, du judaïsme libéral new-yorkais et du christianisme pentecôtiste qui commence à voir le jour en France, sous l'influence de l'Esprit Saint, selon les uns, sous l'empire des dollars américains pour les autres.

J'aurais voulu parler de ce qui me hante depuis quelque temps. Mais non, voilà que j'égrène toutes les dates de mon initiation chrétienne : baptême à l'église Saint-Léon, tout près d'ici, le 25 mars 1961 ; première communion le 14 avril 1968 à Duingt, au bord du lac d'Annecy, où mes grands-parents maternels ont leur résidence secondaire ; confirmation à l'école Saint-Jean de Passy, dans le 16e arrondissement, le 27 mai 1972. C'est là que j'ai fait toutes mes études secondaires.

Le père Barral était déjà l'un de mes aumôniers : « *Vous vous rappelez ? C'est avec vous que j'ai effectué ma première retraite*

---

(6) Raymond Barre (1924-2007) est le seul Premier ministre de la Ve République à n'avoir jamais appartenu à aucun parti politique.

15

dans un monastère le week-end du 11 novembre 1974, à Cîteaux. Ensuite, je suis allé occasionnellement à Soligny-la-Trappe, à Saint-Benoît-sur-Loire, à Hautecombe, à l'île de Lérins et à La-Pierre-Qui-Vire... » La conversation s'enlise dans une discussion d'anciens combattants familiers des « hauts lieux spirituels ». Ma soirée est perdue.

Il est déjà onze heures. Le père Barral propose de m'aider à faire la vaisselle. Je l'en dissuade. Ma femme de ménage s'en occupera demain. « *Tu as déjà une femme de ménage, à vingt-sept ans ?* » Oui, tous les *golden boys* ont une domesticité. Je n'ai pas le temps de terminer mon couplet sur les bienfaits du travail non qualifié pour l'économie française que, déjà, mon curé enfile sa veste et se dirige vers le vestibule.

Notre conversation s'achève sur un sourire. « *Plus le visage est sérieux, plus le sourire est beau* », notait Chateaubriand dans ses *Mémoires d'outre-tombe*. Marc Barral me quitte, portant l'air grave de ceux qui confessent les pécheurs et enterrent les morts. Mais je n'ai rien pu dire de mon secret. Impossible d'en parler, même à un prêtre.

ÉTÉ INCERTAIN

Samedi 20 mai 1989. Je viens de faire une retraite de six jours à l'abbaye de Tamié, en Savoie, non loin du lac d'Annecy où j'ai de la famille. Suis-je, comme mon grand-père Raymond Chanay, un homme trop pudique pour dévoiler sa vie intérieure? Toujours impossible de parler : je porte en moi ce secret qui me terrorise. Me voilà de retour à Paris, dans le quartier de la rue Cler. Je sonne. J'espère que François saura répondre à mes questions. Ce franciscain assez décontracté est rarement à l'heure pour ses rendez-vous. Heureusement, il est bien là, qui m'accueille avec son large sourire et sa chaleur orientale.

Ce Libanais au comportement parfois un peu enfantin m'intimide moins que les prêtres en col romain, plutôt austères et distants, qui officient dans ma paroisse bien rangée de Saint-Pierre du Gros Caillou. J'arrive enfin à balbutier les mots effrayants qui torturaient mes entrailles :

« *Un dimanche de janvier, j'ai eu comme une illumination, une émotion spirituelle très puissante. J'ai cru que c'était du "cinéma intérieur", mais depuis, je prie régulièrement, porté par une force mystérieuse. Je ne m'étais jamais posé la question jusqu'ici mais je me demande si je ne serais pas appelé à une forme de vie religieuse... prêtre ou moine... ou quelque chose comme ça. »*

Je suis soulagé d'avoir pu dire à quelqu'un ce qui me hante depuis des mois. En fait, François me sent plus « *époux et père de famille* » que prêtre ou religieux. Il y a six ans, j'avais dû rompre mes fiançailles avec Laurence : elle était devenue anorexique. François pense que cette expérience malheureuse marque encore ma psychologie et mon comportement à l'égard des femmes. Il me conseille de « *voir des filles* », leur « *prendre la main* » et leur « *parler d'amour* ».

« *Il faut*, me dit-il, *te mettre à leur niveau! Les femmes aiment être complimentées : dis-leur qu'elles ont de beaux yeux, ne leur casse pas la tête avec ta foi, fiston!* » Bien commencé, cet entretien me laisse perplexe. J'étais convaincu que l'Esprit Saint me demandait de suivre le Christ d'une manière radicale et immédiate, et je ne recueille que des propos condescendants sur les femmes, assortis de conseils triviaux qui jettent maintenant le doute en moi.

Un mois plus tard, je suis toujours aussi fidèle à la prière des psaumes, ce qui me sidère. En 1985, j'avais acheté un psautier à l'abbaye de Lérins, au large de Cannes. Ce recueil de poèmes attribué au roi David est le hit-parade de la supplication et de la louange, hérité du peuple juif. J'aime ce « top 150 » du chant religieux consigné dans la Bible, parce qu'il ne cherche pas à peindre artificiellement la vie en rose. Le psalmiste n'hésite pas à sermonner le bon Dieu : « *Pourquoi dors-tu Seigneur?* [7] »; « *Seigneur, pourquoi tarder?* [8] »; « *Mon Dieu, mon Dieu, pourquoi m'as-tu abandonné?* [9] ».

---

(7) Ps 43,24.
(8) Ps 89,13.
(9) Ps 21,2.

Moi aussi, il y a bien des choses que je ne comprends pas et qui me révoltent. Si Dieu est bon et tout-puissant, pourquoi tant de mal dans le monde? « *Dieu respecte la liberté de l'homme* », répondent certains clercs. Mais le mal n'est pas toujours le fait des humains : tremblements de terre et inondations existaient bien avant que nous soyons devenus les grands réchauffeurs de la planète! Depuis des siècles, ces questions du psalmiste sont ruminées dans les synagogues et les monastères. C'est mon tour : mon psautier est écorné à force d'être lu, médité et prié dans le secret.

J'ai compris que le Dieu des chrétiens n'a pas expliqué le mal mais l'a pris sur lui pour accoucher d'un monde nouveau. Il a souffert avec nous : ça me le rend supportable, bouleversant même. Hélas! de l'Olympe à l'Aventin, le nom du Dieu biblique a été traduit et trahi par ceux de divinités locales fort étrangères au Dieu-Amour. Notre « Dieu », apparenté à Zeus *via* le mot latin *Deus* (*Theos* en grec), n'a-t-il pas gardé certains traits de ce mâle barbu et infidèle? De même, *God,* avatar de *Thor* et de *Wotan,* deux divinités nordiques qui exaltaient la guerre, n'est-il pas resté le dieu des appétits belliqueux d'empires et de royaumes faussement chrétiens? J'espère avoir banni ces dieux-là des profondeurs de mon inconscient religieux.

Le mercredi 21 juin 1989, j'arrive enfin à revoir mon curé pour lui parler de mon étrange addiction psalmique. Je lui explique que la prière a pris une place importante dans ma vie et que je me pose la question d'une vocation religieuse. Pour lui, l'affaire n'est pas mûre : il faut attendre un an. S'il s'agissait d'une vocation monastique, je serais allé voir un moine et me serais attaché à une communauté. Il me conseille d'attendre, de retourner éventuellement à l'abbaye de Tamié ou d'aller voir un responsable diocésain des vocations.

Il n'a pas l'air de penser que j'ai un quelconque problème avec les femmes. La question de ma vocation n'est pas de chercher la voie la plus parfaite mais la voie qui me convient le mieux, qui *pour moi* est la plus parfaite : le mariage n'est pas moins parfait si telle est ma vocation. Le soir de cet entretien, je note dans mon journal : « *Me voilà de retour à la case départ! Ah! Si une charmante jeune fille pouvait m'enivrer d'amour et m'entraîner vers le mariage : tout serait si simple!* »

L'été arrive. Week-end de trois jours aux Arcs avec les gros clients de la banque et une partie du gratin médiatique. C'est le Grand Prix de Raft. Descentes grisantes dans les rapides de l'Isère et repas plantureux : « *La vie est très belle; j'y croque à pleines dents.* » Les soirées conviviales se succèdent, agrémentées de week-ends au bord de la piscine de mes parents en Beaujolais et de déplacements professionnels en Suisse, à Milan et à Londres.

Dans mes temps libres, je lis la nouvelle biographie de Charles de Foucauld écrite par Marguerite Castillon du Perron [10]. Cet officier viveur devenu explorateur au Maroc puis ermite dans le Hoggar continue à me fasciner. Mon parrain de confirmation m'avait offert, le 27 mai 1972, un récit illustré signé Michel Carrouges : *Charles de Foucauld, explorateur mystique* [11]. L'avais-je lu alors? Je ne sais. En tout cas, je suis replongé dans l'univers spirituel de ce « frère universel » parti prier et accueillir en « terre d'islam » les plus pauvres des pauvres.

---

(10) Grasset 1982.
(11) Cerf 1954.

CHAMPAGNE OU PSAUTIER?

Mercredi 23 août 1989. Nous venons de décoller. Déjà, une hôtesse de la compagnie SAS m'offre une coupe de champagne. Je suis un peu contrarié de devoir interrompre mes vacances en Laponie. Je retrouverai mes hôtes suédois demain. Ce bref aller-retour entre Stockholm et Londres m'est offert par l'une des deux plus prestigieuses banques d'affaires américaines. Le grand patron new-yorkais des opérations de trésorerie internationale est de passage à la City : il veut absolument me rencontrer pour acquérir mes services.

Confortablement installé en classe affaires, je médite sur ma vie présente et future. Dois-je aller travailler à Londres ou rester à Paris? Les propositions de rémunération sont de plus en plus élevées : les spécialistes des options sur devises, un des « nouveaux instruments financiers » introduits récemment en Europe, sont encore peu nombreux. Le métier est intellectuellement stimulant : je donne des cours en troisième cycle à Sciences Po Paris ainsi qu'aux facultés d'Aix-en-Provence et de Bordeaux. J'interviens aussi auprès de trésoriers d'entreprise pour les former à ces nouvelles techniques de gestion du risque de change. Pourquoi partir à la City? Pour devenir millionnaire et arborer le titre de vice-président sur ma carte de visite?

Ma terreur intérieure me reprend soudain. Mon amie Anna et la douceur des paysages de Laponie me l'avaient fait oublier. « *Où es-tu, Seigneur? Que veux-tu de moi? Je suis noyé dans l'océan de la vie des plaisirs...* » De mon attaché-case je tire mon psautier : « *Dieu, tu es mon Dieu, je te cherche dès l'aube : mon âme a soif de toi...* [12] » Dans ma main gauche ce livre de prières, dans ma main droite une coupe de champagne : quelle est ma soif la plus profonde? Suis-je vraiment désaltéré? Dois-je faire un choix? Non pas seulement entre Paris et Londres, Indosuez et Merrill Lynch, mais entre ma vie d'homme d'affaires et mon avenir d'homme à faire? Les versets 11 et 12 du psaume 61 m'invitent à bien orienter mes ambitions : « *N'aspirez pas au profit; si vous amassez des richesses, n'y mettez pas votre cœur.* »

À vingt ans, j'ai redécouvert la prière. C'était l'été 1981. J'étais le parfait petit consommateur occidental, branché sur la musique à la mode et ne manquant de rien. Famille unie. Aucun échec scolaire ou universitaire. Pourtant quelque chose d'essentiel m'échappait : j'étais frustré du vrai bonheur, apparemment insaisissable. Jeune adulte, je ne priais pas. Je décidai alors de me « pencher sur la question ».

Un livre traînait dans la maison de vacances de mes parents : les *Lettres du désert* d'un certain Carlo Carretto [13]. L'auteur expliquait qu'il ne fallait pas lire son ouvrage pour « *comprendre* » mais pour « *expérimenter* ». Je l'avais pris au mot. Mais où faire mon « expérience »? Je m'étais retiré dans ma chambre. Quel

---

(12) Ps 62,2.
(13) Apostolat des éditions 1973.

geste poser ? Je m'étais agenouillé. Quelles paroles prononcer ?
J'avais demandé à « Dieu » de se « faire connaître ». Moment de
frayeur. Puis, bonheur : Il était venu !

Impossible de décrire cet instant inouï. Je venais de vivre ce
verset de l'évangéliste Jean : « *L'Esprit de vérité, que le monde ne
peut recevoir, parce qu'il ne le voit pas et ne le connaît pas, vous,
vous le connaissez, car il demeure avec vous, et il est en vous [14].* » La
paix indicible éprouvée ce jour de juillet dans le secret de mon
cœur, je ne l'ai jamais retrouvée ailleurs que dans la contemplation du mystère de la vie et, plus tard, dans l'amour concret
de mes semblables.

Le livre m'avait averti : la prière pourrait me conduire très
loin. Plus loin que je ne pouvais l'imaginer. Il me faut désormais
passer ces émotions spirituelles au crible de la raison la plus
rigoureuse. Ne suis-je pas victime d'une illusion psychologique
sans consistance objective ? Pour moi, la pratique religieuse privée
de réflexion est aussi dangereuse que la science livrée à elle-
même. Ceux qui invoquent la « foi du charbonnier » alors qu'ils
savent lire et écrire offensent Dieu en ignorant les exigences légi-
times et fécondes de la raison. Si le Créateur a jugé bon de nous
doter de facultés réflexives, c'est un devoir d'en faire usage.

« *Le choix rationnel,* observait Raymond Aron, *résulte non pas
exclusivement de principes moraux ou d'une idéologie, mais d'une
investigation analytique, aussi scientifique que possible. Investigation
qui n'aboutira jamais à une conclusion soustraite au doute, qui
n'imposera pas, au nom de la science, un choix, mais qui mettra en
garde contre les pièges de l'idéalisme ou de la bonne volonté [15].* »

---

(14) Jn 14,17.
(15) Raymond ARON, *Mémoires : 50 ans de réflexion politique,* Julliard,
Paris 1983, p. 125.

À vingt-huit ans, j'aimerais tant que cette question de la vocation religieuse s'avère une illusion idéaliste ou un piège tendu à ma bonne volonté! Mais, entre champagne et psautier, le souvenir de Dieu ressurgit comme un enfant qui demande à venir au monde. J'éprouve avec appréhension les douleurs d'une nouvelle naissance. Le 15 octobre 1989, j'écris dans mon journal :

« *J'ai vraiment très peur. Je sens Dieu tout proche. Le bonheur qu'il me promet est peut-être pour très bientôt! Jamais je ne pourrai être heureux sans résoudre cette question de ma vocation qui me tourmente de plus en plus.* »

L'Esprit frappe à la porte de ma conscience. Mon âme est sans doute plus timorée que raisonnable : elle se débat comme un beau diable, lâchement incrédule; elle se cabre devant la perspective d'une bénéfique mais coûteuse métamorphose.

DÉMISSION

Ce lundi matin 16 octobre 1989, je ne peux résister à la force qui m'habite. Je me lève : je dois démissionner de la banque. « *J'ai prié ce matin. Je pleure. Il me semble qu'il n'y a plus de compromis possible entre ma faible volonté de richesse, de pouvoir et de tendresse humaine, et la puissante volonté de mon Père, qui m'attire à Lui par son Fils et en son Esprit. C'est complètement fou : je dois tout abandonner pour Lui.* »

Après avoir écrit ces quelques mots, je quitte mon domicile. Il est 8 h 30.

Comme tous les matins, je traverse le pont de l'Alma, contemple les flots sombres et majestueux de la Seine qui séparent Rive gauche et Rive droite, puis emprunte l'avenue Montaigne jusqu'au Rond-point des Champs-Élysées. Les bijoutiers et hauts couturiers du Triangle d'Or n'ont pas encore éclairé leurs vitrines. Le Grand Palais me rappelle des souvenirs : la terrasse de mes parents, au sixième étage du 6 rue Jean-Goujon, en surplombait le dôme. C'est là que je révisais mes examens d'étudiant. « *Le temps n'est jamais*

25

perdu : il est là, au-dehors, parmi les choses [16] », observait Georges Poulet.

Arrivé à la banque, rue de Courcelles, je demande à voir mon directeur. Il n'est pas disponible. Je dois patienter jusqu'à cet après-midi. Je me mets au travail comme d'habitude mais profite de la pause de midi pour aller me confesser. Charles de Foucauld a vécu sa conversion dans l'église Saint-Augustin, proche de mon lieu de travail. Je décide de m'y rendre.

L'immense édifice est ténébreux et glacial. Un vieux prêtre lit son bréviaire dans une petite salle annexe. Il m'accueille et m'invite rapidement à faire mes *« aveux »*. Puis il me demande de réciter *« l'acte de contrition »*. Je lui explique que je ne le connais pas par cœur. Il me fait donc répéter chaque phrase après lui. Avant de partir, le prêtre ajoute, s'adressant à moi comme à un enfant : *« Il faut bien dire votre prière le matin, vous savez! »* Je lui réponds : *« Je prie matin et soir. J'aime tout particulièrement les psaumes. »* Une lueur d'étonnement éclaire soudain ses yeux gris. Je ne lui laisse pas le temps d'en savoir davantage. Quelques heures plus tard, je présente ma démission de la banque pour pouvoir prier matin, midi et soir.

Après les primes et les augmentations très importantes que je viens d'obtenir, ma décision est difficile à comprendre. Néanmoins, ma démission est acceptée. Le directeur de Merrill Lynch, qui m'appelle tous les jours depuis deux semaines avec des propositions toujours plus alléchantes, en reste sans voix : *« Qui a pu vous proposer plus que nous? »* *« Personne,* lui dis-je, *je pars pour un monastère. »* Après plusieurs longues minutes de silence, il conclut : *« C'est la seule concurrence que j'accepte. »*

Ma décision en choque plus d'un. Un collègue polytechnicien

_____

(16) Georges POULET, *La Distance intérieure*, Plon 1952.

en perd littéralement la voix. Un autre me reproche violemment de « *fuir le monde* ». Un cadre du *back office* m'invite à déjeuner pour m'annoncer qu'il est homosexuel. Plusieurs de mes collègues croient que c'est une blague. Certains se montrent enthousiastes : « *Nous menons une vie de cons : c'est toi qui as raison.* » On me demande si j'arriverai à vivre sans parler, et mes amies s'inquiètent de mon choix du célibat.

À ma paroisse, un clochard m'embrasse, les yeux remplis de larmes. Il me glisse qu'il est ancien séminariste. Ma mère, quant à elle, ne comprend pas pourquoi j'ai fait tant d'années d'études pour aller fabriquer des fromages au fin fond de la Savoie. Je pense en effet rejoindre le monastère de Tamié, même si mon choix définitif n'est pas encore arrêté. Une de mes amies note : « *J'ai l'impression que tu as fait le plus grand bond imaginable pour sortir d'une boîte trop petite. Quel est ce Henry plus grand (déjà un mètre quatre-vingt-quatorze!) et plus heureux qui est en train de (re)naître?* »

Moi-même, je ne comprends pas tout, loin de là! Ma vocation reste un mystère. Il s'est visiblement produit quelque chose de très fort dans cette première expérience de prière durant l'été 1981. L'Esprit Saint m'a comblé de ses dons : paix, joie et force [17]. Ma vie en a été changée. Des amis l'ont noté. Je suis devenu plus attentif aux autres, à leurs besoins. Mon appétit de travail intellectuel en a été décuplé. « *Vous produirez toutes sortes de bonnes œuvres,* annonçait l'apôtre Paul aux convertis de Colosses, *et grandirez dans la connaissance de Dieu* [18]. »

Mes recherches et mes rencontres, à mon insu, m'ont conduit de l'Esprit Saint, cet « Invisible », à Jésus Christ et aux premiers

---

(17) Cf. Ga 5,22.
(18) Col 1,10.

chrétiens, réalités de chair et d'os. En retour, ce témoignage incarné m'a guidé vers le « Père ». Sept ans plus tard, je porte toujours en moi des questions sur la pluralité des traditions religieuses, mais j'ai reconnu en Jésus de Nazareth un maître inégalable. Le mystère de l'Incarnation m'a ébloui : le Dieu « Très Haut » ne me suffisait pas.

À vrai dire, il me scandalisait. Quel respect pouvais-je avoir pour ce Haut-Parleur caché dans les nuées, qui ordonnait l'obéissance aveugle à des décrets arbitraires autant que surannés ? Pour oser légiférer de la sorte, ne devait-il pas souffrir lui-même de la condition humaine parfois terrible à laquelle sont soumis six milliards de mes semblables ? Il pouvait garder son manuel de savoir-vivre pour lui, ce « Dieu du Livre » ! Non, je ne pouvais accepter que l'amour de ce Christ juif qui était venu habiter avec nous, jusqu'au bout, jusqu'à mourir injustement sur une croix. Dieu était aussi le « Très Bas », l'humilité même, le « Serviteur souffrant [19] ».

Le soir de ma démission, j'invite à dîner un ami africain. Emmanuel est aveugle : il sait mieux que moi trouver dans la nuit le chemin de Dieu. Nous parlons de ma décision, méditons ensemble et prions. Il me cite un passage de l'Évangile selon Jean : « *Si le grain de blé ne tombe en terre et ne meurt, il reste seul ; s'il meurt, il porte beaucoup de fruit [20].* » Le lendemain, à la messe de dix-neuf heures, la lecture est précisément celle-là !

Mais le monastère de Tamié va-t-il m'accepter ? Si mon CV me permettait d'aller travailler chez Merrill Lynch à prix d'or, les moines cisterciens-trappistes ont des critères de discernement des vocations bien différents ! Que vaut ma vie de « jeune cadre

---

(19) Is 53.
(20) Jn 12,24.

dynamique » pour des hommes de silence qui ont choisi une voie d'humilité et fabriquent essentiellement du fromage ? La gestion d'un portefeuille d'option de change « en delta neutre » et mes relations dans les cercles de la finance internationale me seront peu utiles pour convaincre une communauté de priants de bien vouloir m'accueillir !

DANS LE VIDE

Aujourd'hui, je me rends au siège de la Banque Indosuez. Jacques Hébrart, responsable du contrôle de gestion de l'ensemble du groupe, avait signé mon contrat d'embauche il y a quatre ans, quand il était directeur des ressources humaines. Il veut me rencontrer avant mon départ. Il m'accueille dans son bureau avec courtoisie. Nous engageons la conversation. Le téléphone sonne. Sa secrétaire annonce le Président-directeur général. Il objecte qu'il est « *en rendez-vous* ». La secrétaire est étonnée : on ne refuse pas de répondre au grand patron! Mais Jacques Hébrart raccroche et reprend ses questions.

Il cherche à comprendre ma décision. Une atmosphère de gravité solennelle gagne la pièce, comme si Quelqu'un de plus grand que nous se tenait là, invisible mais formidablement présent. J'explique que j'ai beaucoup aimé mon travail et mes collègues : je ne pars pas par dégoût du milieu de la finance. Les opérations de change sont nécessaires au bon fonctionnement de la société. L'argent n'est pas « sale » en soi.

À vrai dire, j'ai toujours été émerveillé par cet extraordinaire instrument qu'est la monnaie. Ce moyen d'échange a apporté à l'humanité deux libertés majeures, dans l'espace et dans le temps. D'abord, il a permis de multilatéraliser les échanges, nous libérant du troc bilatéral, qui obligeait chacun à offrir directement à l'autre ce dont il avait besoin. Ensuite, il a ouvert la voie aux arbitrages dans le temps : prêter quand on a trop d'argent ; emprunter quand on n'en a pas assez. L'argent est un mauvais maître [21] mais un bon serviteur.

Jacques Hébrart acquiesce. Je lui parle de Tamié et de la vie monastique. Ce choix restera toujours incompréhensible pour ceux qui ne connaissent que le monde visible. À quoi servent les moines ? À rien : ils servent *Quelqu'un*. Par leur tradition d'hospitalité, ils conservent un lien avec le « village global ». Mais ils sont un signe de contradiction : protestation contre l'utilitarisme et le matérialisme ambiants.

Jacques Hébrart m'écoute. L'heure tourne. À regret, il me conduit vers la porte de son bureau. La direction générale l'attend pour une réunion au sommet. Il me serre chaleureusement la main, me remercie de mon témoignage et de mes services à la banque. Il me souhaite bon vent. Je me retrouve dehors, dans les rues bruyantes du quartier Saint-Lazare. Chacun court à son poste dans cette capitale efficace, élégante et prospère.

Je dois maintenant revoir le père Barral pour faire le point. Il m'accueille dans son bureau à Saint-Pierre du Gros Caillou. Il va écrire à l'abbaye de Tamié. « *Pourquoi la vie monastique ?* », me demande-t-il. « *Ce n'est pas le paradis : la vie communautaire est éprouvante !* » Cet entretien me remplit d'angoisse : la vie trappiste ne sera-t-elle pas trop dure pour moi ?

Inquiet mais décidé, je téléphone à un jeune retraitant

---

(21) Lc 16,13.

dont j'avais fait la connaissance au monastère. Si quelqu'un veut rejoindre la communauté, il doit d'abord passer plusieurs semaines à l'hôtellerie. Après un temps de recul, il peut faire un « essai » d'un mois avec les moines en clôture comme « regardant ». Si tout se passe bien de part et d'autre, il reste alors trois ou quatre mois de plus en qualité de « postulant ». Finalement, si la vocation se précise, il demande à « prendre l'habit » et rejoint le « noviciat ».

Ayant compris les étapes à suivre, je rédige, le 19 octobre 1989, une lettre à l'intention du père hôtelier : « *Cher frère Didier, je viens de donner ma démission à la banque où je travaille depuis près de quatre ans. Je ne sais pourquoi, je désire retourner à Tamié. J'ai expliqué ma décision au père Barral, qui va t'écrire, à toi ou au Père supérieur. Peux-tu lui demander de bien vouloir m'accueillir parmi vous, encore une fois, pour le temps que Dieu veut ?* »

ADIEUX

Trois jours plus tard, je rends visite à mes parents à Meudon. Tamié n'a pas encore répondu à ma lettre, mais mon père a compris que je m'en allais pour toujours. Nous nous promenons sous le ciel gris d'un automne maussade. Celui qui, pendant toute mon enfance, a été mon protecteur ne peut s'empêcher de pleurer. Je suis moi-même très ému. J'étais le seul de ses fils à avoir repris une carrière bancaire. Nos conversations régulières ne pourront plus avoir lieu si j'opte pour la vie monastique : les moines trappistes ne reviennent jamais dans leur famille et n'accueillent leurs parents que pour quelques jours chaque année.

Au retour de notre promenade, je prends le thé avec ma mère. Elle compare le bouquet de fleurs que je lui ai apporté à celui que mon frère aîné lui avait offert à l'annonce de son entrée au séminaire. Deux célibataires, quand on a quatre fils, ça fait beaucoup pour qui préfère les pourvoyeurs de petits-enfants aux « vieux garçons » que sont « les curés et les moines » !

Le bouquet de Paul était imposant mais d'une douce sobriété, à l'image de sa simplicité et de sa discrétion. Mes fleurs rappellent les feux d'artifice de la fête du lac d'Annecy ou les explosions de couleurs qui m'enchantaient, enfant, lorsque je regardais le dessin animé *Fantasia*. « *Tu as toujours aimé la profusion* », me glisse celle qui m'a choyé pendant plus de vingt ans avec la ponctualité, la rigueur et la distinction d'une grande dame lyonnaise calme et souriante.

Arrive mon frère Paul, auquel me lie une complicité spirituelle née d'une histoire commune et d'aventures sportives partagées. J'éclate en sanglots, balbutiant ce simple mot : « *Merci!* » Sa décision d'entrer au séminaire m'avait ébranlé, comme si la foudre avait frappé juste à côté. Sa vocation était une question pour moi. Question dérangeante, non résolue, refoulée si longtemps. Peut-être faut-il maintenant le considérer comme le « premier de cordée », en espérant qu'il ne se trompe pas de chemin.

Mon frère Jacques vient de se marier, ce qui soulage ma conscience vis-à-vis de mes parents : ils auront des petits-enfants. Mon dernier frère, François, est plus jeune. Il a encore du temps devant lui. Tous deux sont les « bouffeurs de curés [22] » qui assurent la réplique sur tous les sujets religieux discutés en famille. Ils permettent à mon frère aîné de s'entraîner pour ses futures homélies : il n'est pas facile de convaincre la nouvelle génération de cette France technicienne, riche, hédoniste et hyper sécularisée. Mais les mots suffisent-ils?

La Lumière pour moi est toujours venue des « inclassables » et des « déclassés », des « étranges » et des « étrangers ». Depuis sa chaise roulante à laquelle la polio l'a condamné, Bandula, Sri-lankais de culture bouddhiste, a tiré ma vie étudiante de l'individualisme forcené qui régnait à la Sorbonne. Avec d'autres, il a été mon sauveur. La faiblesse de ces « petits » m'a obligé à

---

(22) Ils ont, depuis, sensiblement évolué.

sortir de moi-même et m'a révélé la vérité de l'amour insondable de Dieu.

Ce n'est pas moi qui « dois » m'occuper des plus souffrants par pitié, par obligation morale ou par « charité chrétienne » : j'ai besoin d'eux. Leur présence m'est vitale. Sans eux, je risque la mort spirituelle, voire le suicide. Ils sont le « Messie libérateur » aujourd'hui : « *C'était nos infirmités qu'il portait, nos douleurs dont il était chargé. Et nous, nous le pensions puni, frappé par Dieu et humilié. Mais c'est par ses blessures que nous sommes guéris* [23]. »

Le 23 octobre 1989, j'écris dans mon journal : « *Cette semaine, je le sais, je partirai pour Tamié.* » Deux jours plus tard, je reçois un mot de frère Didier précisément daté du 23 octobre : « *Mon cher Henry, je viens de recevoir ta lettre. Je t'attends ce samedi 28, si cela te va, pour au moins une semaine. On verra alors ce que Notre-Dame de Tamié peut faire de toi. À bientôt ! Joie !* »

Je réserve aussitôt un billet de TGV et me rends chez mon coiffeur, à qui j'apprends mon départ. Il est sidéré. Pour lui, « *Dieu est une affaire classée* ». Il s'étonne qu'un « *homme moderne* » à qui « *tout réussit* » parte pour un monastère. Il pense que c'est ma dernière passion, après toutes les autres. À mes yeux, « *c'est une excellente analyse qui ne sera démentie que par un témoignage vrai, c'est-à-dire comblé et heureux, de fidélité au Christ* ».

Avant de me coucher, je consigne mes états d'âme du moment : « *J'ai l'impression de partir pour un pays inconnu. C'est comme si je montais pour la première fois dans un avion : sensation de peur et d'enthousiasme mêlés ; confiance aveugle dans le pilote – que faire d'autre ? Il est trop tard pour quitter l'appareil*

---

(23) Is 53,4-5.

dont les portes se ferment. Autour de moi, les passagers habitués au "miracle" me rassurent. Ma prière et celle de tous mes amis se rencontreront ces prochains jours en plein ciel, quand l'avion aura décollé. »

VISION

Je suis encore à Paris, songeant à la vie monastique à Tamié, quand une étrange vision s'impose à moi le 24 octobre 1989, consignée par écrit le jour même : « *Dans ma prière, j'ai vu que je faisais l'école aux enfants maghrébins de Marseille.* » Ces images me troublent : « *Fantasme de l'imaginaire? Étrange que ce soit Marseille en tout cas. Je crois que les policiers n'osent même plus pénétrer dans certains quartiers. Comment pourrais-je aller là-bas? Je n'ai pas les capacités de vivre dans ces conditions-là, et je ne veux pas me faire tuer. Et puis je ne connais personne à Marseille.* »

La question d'une présence chrétienne dans les quartiers immigrés des grandes agglomérations urbaines m'habite d'autant plus que l'islam politique radical gagne du terrain partout. En Algérie, le Front islamique du salut obtient, le 14 septembre, sa reconnaissance légale comme parti politique. En France, c'est l'affaire du « foulard islamique » qui préoccupe l'opinion publique.

Arrivé chez un de mes oncles, en route vers l'abbaye de Tamié, je pensais déjà faire le vide pour expérimenter le plus sérieusement possible le silence et la clôture monastiques. Mais les soubresauts du monde me rattrapent : « *Chez mon oncle, le sujet d'actualité – faut-il accepter le hidjab à l'école – est revenu sur le tapis. Ces problèmes d'affrontements entre musulmans et non musulmans en France rejoignent l'idée qui m'était venue d'aller faire l'école aux enfants maghrébins de Marseille. Je suis troublé.* »

Le 28 octobre 1989 au matin, j'arrive à l'hôtellerie de l'abbaye de Tamié. Je retrouve frère Didier avec émotion. Frère Alain, son adjoint, me montre ma chambre. Je lui explique brièvement ma situation de démissionnaire en recherche. Il me répond : « *Ce que Dieu veut, c'est ce que tu veux.* »

Sur le moment, je ne comprends pas très bien le sens de cette affirmation. Mais à la réflexion, je la trouve très juste et exigeante : Dieu n'écrase pas l'homme, ne le rend pas irresponsable, aveuglément soumis à une volonté tyrannique qui lui tomberait dessus de l'extérieur ; Dieu s'est fait homme en Jésus pour que l'homme devienne Dieu ; à ce titre, il est créateur de son propre avenir.

« *Nous nous imaginions peut-être que la Création est depuis longtemps finie. Erreur,* écrivait Pierre Teilhard de Chardin dès 1926, *elle se poursuit de plus belle… Et c'est à l'achever que nous servons* [24]. » Tout est question d'amour et de discernement : utiliser ses talents avec intelligence et inventivité pour aimer notre prochain, à notre manière, dans le jardin qui nous a été confié [25]. La domination de Dieu sur l'univers et son écosystème ne s'exerce pas directement, mais par l'intermédiaire d'hommes libres et raisonnables. Ma vocation, pour être chrétienne, doit être humainement et écologiquement responsable.

---

(24) Pierre TEILHARD DE CHARDIN, *Le Milieu divin,* in *Œuvres complètes,* tome IV, Seuil 1957, p. 50.
(25) Gn 2,8.

Seul dans ma chambre, je constate que j'ai trouvé un monastère accueillant mais pas encore un domicile fixe : « *J'étais parti de la Banque Indosuez dans l'idée de "consacrer ma vie à Dieu". En janvier, j'avais cru comprendre que Dieu me voulait "prêtre". Il y a peu, je me sentais attiré vers la vie purement "contemplative". Maintenant, il y a cette préoccupation "caritative". Il me semble aujourd'hui qu'il me manque une dynamique, comme si j'étais un peu perdu, à Tamié tout en pensant à Marseille...* »

De fait, j'écris à nouveau : « *Enseignement, monastère, prière : je dois creuser ça pour préparer Marseille.* » Je fais le point sur mes aspirations : « *Je suis prêt à tout quitter pour suivre le Christ. Je veux prier la liturgie des Heures, pratiquer l'oraison et me nourrir de l'Eucharistie. Depuis toujours j'ai voulu enseigner. Servir les enfants les plus pauvres est une idée déjà ancienne chez moi. Le dialogue des cultures et des peuples, nécessaire après l'internationalisation du monde, m'est naturel : je suis cosmopolite par ma famille et l'ai été par mon métier. J'ai vu dans ma prière les musulmans de Marseille et cette idée m'obsède. C'est un grand enjeu pour l'Église et pour la France. De tout cela il faut tirer quelque chose pour l'avenir.* »

Le lendemain, j'ajoute : « *J'ai repensé à l'école à Marseille. Pourquoi ne pas essayer ? Si la Force est en moi, je crois qu'il faut tenter l'expérience. Il faudrait prendre des contacts là-bas. Mais je ne connais personne !* »

Au bout de quelques jours, je fais la connaissance du maître des novices, frère Antoine. Il note que j'ai un « *don pour l'enseignement* », mais il me propose tout autre chose : passer quelques heures de l'autre côté de la clôture pour aider les moines à emballer les fromages. Le passage brutal de la gestion d'un portefeuille d'options de change de plusieurs milliards de dollars à l'emballage de fromages dans un monastère aux confins du massif des Bauges m'arrache quelques fous rires. Finies l'agitation fébrile et les primes de performance : le temps du recueillement et de la mise en commun des biens est venu !

Je regrette le caractère cosmopolite de la salle des marchés d'Indosuez où les Français étaient minoritaires. Ici, les moines sont tous européens : français, italiens ou suisses. Seul un frère vient de Nouvelle-Zélande. Mais je commence à me sentir chez moi à Tamié. Le 2 novembre 1989, j'écris : « *Cette vie cistercienne est faite pour moi : prière, psaumes, sacrements, méditation, étude, fraternité, solitude, silence, travail manuel, enracinement dans un lieu, beauté de la nature, rythme régulier. Pourquoi me poser tant de questions ?* »

Cependant, deux jours plus tard, je note : « *Je vais prendre le nom et l'adresse d'un retraitant, jeune médecin, aumônier d'une école d'ingénieurs à Marseille. Mais il m'a rassuré : Marseille, ce n'est pas le Liban ! Beaucoup d'étudiants s'occupent déjà des écoliers qui ont besoin de soutien.* »

La question marseillaise n'a donc pas complètement disparu. Mais je veux explorer la vie monastique de l'intérieur : je ressens un profond besoin de silence. Il me faudra vérifier s'il s'agit d'une étape transitoire ou d'une vocation définitive. Ce qui m'attire le plus dans la vie monastique, c'est son aspect gratuit, non prosélyte : ce qui compte avant tout, c'est d'être converti soi-même jour après jour, tout le reste étant affaire de rayonnement.

« *Soie naturelle et rayonne* » : c'est ce que proposaient déjà mes ancêtres soyeux ! Dans mon journal, je conclus : « *Le plus important, c'est le désir de rencontrer Dieu. Par leur prière et toute leur vie, c'est ce que font les moines.* »

EN CLÔTURE

Le 5 novembre 1989, je quitte temporairement Tamié, conformément au plan de mon maître des novices. Après un voyage sans histoire en TGV, je retrouve mon appartement parisien. Dans mon courrier, je découvre plusieurs lettres, dont celle de Raymond Barre, « *touché* » par mon témoignage. Il me souhaite « *la Paix et la Joie* » dans la « *Région du Profond Silence* », expression empruntée à *La Vie de Rancé* de Chateaubriand. J'ai plusieurs questions matérielles à régler – appartement, voiture, impôts, compte bancaire, etc. – et quelques personnes à voir. Mais, dès le 18 novembre, je retourne à Tamié.

Après deux nuits à l'hôtellerie, le temps est venu de « passer la clôture ». Je serai « regardant » jusqu'au 27 décembre. « *J'ai l'impression d'être propulsé à 300 km/h sur une montagne russe, à l'envers, en plein virage : je ne maîtrise plus rien !* » Dès 3 h 30, je suis aux vigiles. J'essaie d'être détendu. Dans ma chambre, je range les rares affaires personnelles que j'ai emportées.

Puis je décide, pour évacuer mon stress, de faire un footing dans la nuit et le froid. Une voiture me croise sur la route déserte

41

du vallon. Le chauffeur doit se dire que je suis fou ou que je suis moine – ce qui est sans doute la même chose pour beaucoup de gens! À 6 h 45, je suis à l'office des laudes, suivi de l'Eucharistie. Après le petit-déjeuner, je retrouve mon maître des novices. Nous franchissons la porte qui sépare l'hôtellerie du cloître à 9 h 30. Pour moi, « *c'est comme la rentrée des classes!* »

« *Pourquoi le cloître est-il carré?* », me demandera un jour l'énigmatique frère Jean-Pierre : « *Pour éviter aux moines de tourner en rond.* » Frère Jean-Pierre apprécie les *koans,* ces questions paradoxales que les maîtres zen proposent à la méditation de leurs disciples. De fait, mieux vaut ne pas tourner en rond : les moines de Tamié sont là depuis 1132! Un tibia et le crâne de saint Pierre de Tarentaise, précieusement gardés dans une châsse, l'attestent.

Frère Antoine me conduit maintenant dans ma « cellule ». On ne peut pas faire plus petit! Il n'y a de place que pour un lit. Le mien a été rallongé de vingt centimètres : il faut couvrir ses doigts de pied car les nuits sont froides à neuf cents mètres d'altitude!

Pour la première fois, je pénètre dans le chœur de l'église par la porte des moines. Sept fois par jour, je serai à la même place pour un total de quatre heures de prière vocale. Les moines parlent peu mais chantent beaucoup! La liturgie des heures épanche la surabondance de leur cœur : « *Seigneur, ouvre mes lèvres et ma bouche publiera ta louange!* » Dans les épreuves, ils trouvent refuge dans ces rendez-vous spirituels quotidiens : « *Dieu, viens à mon aide! Seigneur, à notre secours!* » À travers la rumination des psaumes, la communauté s'unit à la divinité de Celui qui les a priés dans son humanité : Jésus de Nazareth. La nouveauté pour moi, c'est le rythme soutenu et minuté de ces rendez-vous communautaires.

Mon après-midi est occupée à trouer des murs avec une énorme perceuse, dans le bruit et la poussière. Quand vient l'office des complies, je tombe de fatigue. Après le *Salve Regina,* je suis la colonne des moines qui montent jusqu'aux cellules sous les toits. Dans l'escalier, un frère qui ressemble à Louis de Funès me prend par le bras et me glisse, avec un léger accent suisse : « *Je suis content que tu sois là.* » J'hésite à répondre car c'est l'heure du « grand silence » et personne autour de moi ne parle. Mais je finis par chuchoter à mon interlocuteur : « *Moi aussi, je suis content que tu sois là : je ne savais pas que Louis de Funès s'était retiré à Tamié.* » Frère Emmanuel contient difficilement son fou rire. Ma réponse semble avoir augmenté son bonheur.

Le lendemain, c'est à nouveau les vigiles à 3 h 30, suivi de la *lectio divina.* Le moine scrute la Bible à la recherche de Dieu. Sa lecture est lente mais ardente. Elle devient méditation puis silence. Elle s'achève en prière. La prière porte petit à petit son fruit : l'Amour. Car « *Dieu est amour : celui qui demeure dans l'amour demeure en Dieu, et Dieu en lui* [26] ». Les moines trappistes pratiquent la *lectio divina* dans une salle appelée *scriptorium.* Le noviciat a sa propre pièce : j'y trouve ce matin mon pupitre, sur lequel un frère a déposé – délicate attention – une fleur.

Après l'office de tierce, je nettoie les plaques à fromage dans les sous-sols du monastère. Mon bleu de travail me serre moins que mes cravates de banquier mais je sens les courbatures héritées des efforts de la veille. L'espace d'une seconde, la conversation chaleureuse de mes amis ou le regard tendre de mes proches me manque. Cette nostalgie est vite absorbée par le rythme de la vie trappiste, découpée en rondelles, avec son alternance régulière de

---

(26) 1 Jn 4,16.

43

travail, de repos, de lecture et les sept offices à l'église. Dans les premiers jours, on en a presque le tournis!

En guise d'introduction à la *lectio divina,* je lis Guigues le Chartreux, premier législateur de l'Ordre fondé par saint Bruno : « *La lecture sans méditation est aride, la méditation sans lecture est sujette à l'erreur, la prière sans méditation est tiède, la méditation sans prière est sans fruit.* » Une des grâces du monastère est d'ancrer chaque jour ma prière dans les Écritures.

Mon attirance vers l'Absolu est progressivement convertie en service de l'Amour, qui est charité en actes. Par la fréquentation quotidienne des évangiles, Dieu prend de plus en plus le visage dérangeant de Jésus, homme concret, exigeant de liberté, tourné tout autant vers ses frères terrestres que vers son Père céleste.

Clément d'Alexandrie notait que l'homme spirituel n'est pas autodidacte : il est « théodidacte », c'est-à-dire qu'il est construit par Dieu. Trop souvent aujourd'hui, la spiritualité est une recherche de confort pour l'*homo economicus* frustré de sa dimension religieuse. C'est l'Évangile qui évite les dérapages d'une intériorité égocentrique et illusoire. Car le Christ veut étancher la soif de l'agnostique consumériste en lui donnant à voir et à vivre l'ultime réalité : l'amour de Dieu et du prochain [27].

Dans le monde, c'est la famille, les collègues de travail et les voisins qui évitent le mirage d'une spiritualité désincarnée. Dans le monastère, c'est la communauté et les hôtes qui permettent de vérifier si le moine aime vraiment Dieu : « *Celui qui n'aime pas son frère n'est pas né de Dieu* [28]. » Le vent de l'Esprit « *souffle où il veut* [29] » mais toujours dans la direction de l'amour du prochain :

---

(27) Mt 22,37-39.
(28) 1 Jn 2,1.
(29) Jn 3,8.

« *Si quelqu'un dit : "J'aime Dieu", alors qu'il a de la haine contre son frère, c'est un menteur [30].* »

Les journées se succèdent, scandées par la prière des Heures. Je tombe de sommeil aux vigiles. Levé tous les jours à 3 h 15 et couché à 20 h 15, je constate le 28 novembre 1989 que « *ce manque de sommeil n'est pas encore pénible mais pourrait le devenir* ». Le 1er décembre, au terme d'une prière aride, je m'interroge : « *Qu'est-ce que tu veux me dire, mon Dieu ? Que je me complais dans des sacrifices inutiles ? Ou bien ce désert porte-t-il un fruit que j'ignore ? J'ai l'impression que je ne te comprends pas… que tu cherches à me dire quelque chose… mais quoi ?* »

---

(30) 1 Jn 4,20.

CHANGER DE REGARD

Le 18 décembre 1989, je rencontre le père-abbé, Jean-Marc Thévenet, et lui fais part de mon désir de « postuler ». Tamié est un lieu où, tout compte fait, je me sens bien. Le monastère est un havre de silence, mais il est surtout le lieu d'une Parole vraie. Finalement, le monde dans lequel j'évoluais à Paris était beaucoup plus bruyant mais relativement muet : les conversations étaient la plupart du temps vides de l'essentiel. Les *traders* s'échangent continuellement des milliards de dollars et vivent plongés dans le monde *high-tech* des informations financières internationales. Mais que de *spam!*

Ici, le sens profond et la méditation des événements l'emportent sur la technique et l'exploitation des derniers « tuyaux ». J'admire le génie occidental hérité du judaïsme, du christianisme et du monde gréco-romain, revisité et enrichi par les penseurs arabes du Moyen Âge et les hommes de science de la Renaissance. L'Europe a su intégrer les chiffres indiens et le papier chinois sans y perdre son latin. Bravo pour cet éclectisme et cet universalisme! Je me réjouis du progrès technique et d'une organisation économique qui ont su triompher des famines à répétition qui sévissaient sur tout le continent jusqu'au milieu du xixᵉ siècle. Mais je trouve l'hyper sécularisation républicaine quelque peu étouffante. La laïcité à la française repousse tellement les questions spirituelles dans le domaine privé que mon séjour à Tamié m'apparaît comme une entreprise de « dé-sécularisation » régénératrice : les fêtes religieuses et la prière rythment et nourrissent la vie quotidienne.

Noël à Tamié est pour moi un moment d'approfondissement de ma relation filiale à Dieu. Je médite le prologue de l'évangéliste Jean : « *Tous ceux qui l'ont reçu, ceux qui croient en son nom, il leur a donné de pouvoir devenir enfants de Dieu. Ils ne sont pas nés de la chair et du sang, ni d'une volonté charnelle, ni d'une volonté d'homme : ils sont nés de Dieu* [31]. »

J'écris dans mon journal : « *En fait, mes parents visibles – mon père et ma mère de la terre – ne sont qu'un frère et une sœur pour moi. Mon Papa du Ciel m'a simplement confié à eux pour un temps. Mes parents de l'état civil ont donc* coopéré *à ma naissance – et c'est sublime ! Mais je suis né* de *Dieu, mon vrai Papa, et par l'Église, ma vraie Maman. Oui, mes parents de la terre ne sont que mes parents* adoptifs *: ils m'ont reçu de Papa* ("Abba"). »

Le mystère de l'Incarnation m'habite. C'est ma clé de lecture de l'Eucharistie :

« *Les Juifs ont une liturgie de la Parole. Nous aussi. Mais, comme eux, notre adoration est centrée sur les événements du salut, que les Écritures ne font que rapporter et commenter. Ce n'est pas la Bible que nous contemplons, mais Celui qu'elle dévoile. Pour les chrétiens, Jésus est l'accomplissement de l'histoire du salut. Car tout est récapitulé dans le Christ. Manger le corps et boire le sang du Christ,*

---

(31) Jn 1,12-13.

c'est donc communier à Dieu dans son Verbe incarné. Notre liturgie de la Parole est une préparation à la prière eucharistique.

« *En termes amoureux, l'union du Créateur avec sa créature, Époux et épouse, se fait par la Parole d'abord – "je t'aime" – et par le Corps ensuite – les amoureux se mangent l'un l'autre pour ne faire plus qu'un par le baiser sur la bouche et l'union sexuelle. Ce n'est que ce* corps à corps *qui assouvit leur désir. Ce n'est qu'après cette communion* charnelle *qu'ils sont repus et apaisés. Ils rendent grâce. Ceux qui s'aiment ne s'unissent pas nécessairement tous les jours mais fidèlement, avec désir et joie.* »

Le 28 décembre, le père-abbé, frère Philippe et frère Paul partent pour l'Algérie, où un ancien moine de Tamié, frère Christophe, doit être ordonné le 1ᵉʳ janvier. Paul a choisi de rester là-bas, au monastère de Tibhirine. Avec l'humour pince-sans-rire qui le caractérise, il me glisse en guise d'adieu : « *Tu me remplaceras!* »

Deux jours plus tard, je quitte l'abbaye à mon tour : mon séjour en clôture en tant que « regardant » s'achève. Mais ce n'est qu'un au revoir : « *Écris-nous! Reviens-nous!* », me glisse mon maître des novices, qui m'a conseillé de faire un voyage en « Terre sainte » en guise de « temps de recul » avant mon postulat.

Mon oncle qui habite à quinze kilomètres du monastère vient me chercher. En voiture, nous discutons de la situation internationale incroyable : chute du mur de Berlin, destitution du dictateur roumain Ceausescu, effondrement de l'empire soviétique. Moi qui ai défilé à Paris pour la cause des Polonais de *Solidarnosc* et milité contre l'idéologie communiste, je suis tout étonné de constater que c'est lorsque je me « retire du monde » qu'il se met à changer! C'était inévitable : le système soviétique s'est écroulé à cause de ses contradictions internes et de l'aspiration des peuples à la liberté, à la justice et à la fraternité sans frontière.

Grâce à ma grand-mère Suzanne Quinson, j'ai toujours su faire la différence entre un communiste et un chrétien. Elle me disait : « *Le communiste affirme : "Tout ce qui est à toi est à moi". Le chrétien pense le contraire : "Tout ce qui est à moi est à toi".* » Si l'Europe avait été pleinement chrétienne au XIXᵉ siècle, elle ne serait jamais devenue partiellement communiste au XXᵉ. La misère des ouvriers m'a toujours scandalisé : si j'ai invariablement critiqué le communisme, idéologie athée, totalitaire et inefficace, je respecte jusqu'à ce jour les communistes qui ont milité pour plus de justice sociale. Dieu reconnaîtra les siens [32].

Après un court séjour à Paris, je m'envole pour Israël et le Sinaï. À mes yeux, le judaïsme des prophètes et le christianisme de Jésus ont dépassé la notion archaïque de « terre sainte ». Ce qui compte c'est « *l'adoration véritable en Esprit et en Vérité* [33] ». Cependant, ce voyage me permet de voir les lieux découverts dans la Bible que ma mère m'a offerte il y a douze ans, le 30 juin 1978. « *Qui s'appuie sur le Seigneur ressemble au Mont Sion ; rien ne l'ébranle, il est stable pour toujours* [34] » : telle était sa dédicace.

Maintenant, je mesure le chemin parcouru : oui, j'aime le Jésus des évangiles, mais, pour cette raison, je préfère vagabonder avec les Bédouins dans le désert ou passer quelques jours chez des Juifs agnostiques à Eilat plutôt que subir les interrogatoires religieux d'un de mes cousins, israélite hassidim, à Méa Shéarim lors d'un dîner casher inutilement polémique. « *Ce qui compte, ce*

---

(32) Mt 25,31-46.
(33) Jn 4,23-24.
(34) Ps 125,1.

n'est pas la circoncision : c'est la création nouvelle [35] », s'insurgeait l'apôtre Paul.

De même, j'ai du mal à retrouver Jésus dans les basiliques construites à sa mémoire, lui qui dénonçait le commercialisme des marchands du temple. Enfin, l'omniprésence de l'armée israélienne et la souffrance du peuple palestinien me broient le cœur. Au total, ce voyage s'avère douloureux : « *Pourquoi cherchez-vous le Vivant parmi les morts ? Il n'est pas ici* [36] », prévenait l'ange devant le tombeau vide du Ressuscité. « *Il vous précède en Galilée : c'est là que vous le verrez* [37]. » Marcel Proust avait raison : « *Le seul, le vrai, l'unique voyage, c'est de changer de regard.* »

(35) Ga 6,15.
(36) Lc 24,5-6.
(37) Mt 28,7.

PRISE D'HABIT

« Ah! Quelle est l'âme qui ne désire pas posséder la vertu! C'est la voie commune! Mais que peu nombreuses sont celles qui acceptent de tomber, d'être faibles! », écrit Jean de la Croix. Pour ma part, c'est avec une grande peur de « tomber » que je reviens au monastère le mercredi des cendres, 28 février 1990. Je suis bien accueilli par la communauté, mais le carême me rappelle que je dois aussi convertir ma sexualité.

Une de mes craintes depuis que j'ai accepté d'embrasser cette vocation au célibat est d'être incapable de la vivre chastement. Pour moi, le célibat demeure au mieux un mystère, au pire un scandale. J'aime quand certains de mes amis s'offusquent de ma « castration » volontaire. Je trouve leur réaction saine. Car renoncer à sa « génitalité » a beau être différent de renoncer à sa « sexualité », c'est pour moi un lourd sacrifice et un choix difficile à justifier : *« C'est l'amour que veut le Seigneur et non les holocaustes [38]. »*

---

(38) Os 6,6.

Comment maîtriser durablement son instinct sexuel ? Il n'y a pas de solution purement « technique » en la matière, ce qui oblige à « *regagner le monde invisible d'où je viens, le monde des* "réalités qu'on ne voit pas [39]" *et qui sont* "la source de ce que nous voyons [40]", *le monde de Dieu* ». Le 28 avril, interviewé pour la première fois au monastère par un journaliste du *Progrès* de Lyon, j'établis « *une hiérarchie entre instinct sexuel, amour d'autrui et amour de Dieu* ».

L'Amour *agapè* qui rayonne en service discret, concret, joyeux et désintéressé ne détruit pas l'amour *éros,* mais il l'apprivoise en l'orientant vers le bien d'autrui et de soi. Le mariage chrétien en est la forme habituelle et sublime. Le célibat est un charisme complémentaire donné à celles et ceux qui y sont appelés : « *Comprenne qui pourra [41] !* », dit simplement Jésus.

Autant le sacerdoce des prêtres, responsables de communautés paroissiales, est compatible avec le mariage (ce fut longtemps la pratique de toute l'Église et c'est toujours le cas en Orient), autant le célibat des moines est constitutif de leur vocation de vie communautaire. Il est aussi l'expression d'une dimension eschatologique de l'Église :

« *Lorsque les enfants jouent au papa et à la maman, ils participent déjà, par des paroles et des gestes, à une réalité future inscrite en eux ; n'en est-il pas de même pour le célibat monastique, qui annonce le Royaume où il ne sera plus nécessaire de se marier et d'avoir des enfants [42] ?* »

Le mot « célibat » vient du latin « *caelum* », qui veut dire

---

(39) He 11,1.
(40) He 11,3.
(41) Mt 19,11-12.
(42) Lc 20,34-36.

« ciel » : le célibataire selon Dieu exprime par son renoncement au mariage en ce monde qu'il est fiancé avec le Ciel.

Pas facile d'être assis entre deux chaises, d'avoir le cœur déjà dans les étoiles et les pieds encore sur la terre! Mais mon constat provisoire est que, dans le cadre monastique, un célibat chaste et heureux est possible. Rassuré sur ce point, je demande le 18 mai à « prendre l'habit ». Le 29 juin 1990, en la fête de saint Pierre et saint Paul, je deviens ainsi officiellement novice.

« Est moine celui qui est séparé de tout et uni à tous », déclare Évagre le Pontique : me voilà « séparé » de mes cheveux, puisque mon « père-maître » me rase le crâne comme c'est de tradition ici. *« J'ai désormais une tête de moine : époustouflant, non? »* Certains considèrent que revêtir un habit qui date du Moyen Âge est à la fois anachronique et contraire aux enseignements de Jésus. Le moine n'imite-t-il pas les pharisiens vaniteux qui *« élargissent leurs phylactères »* et *« allongent les franges de leurs vêtements »* [43]? Ne cherche-t-il pas à se distinguer des autres hommes de manière ostentatoire et superficielle?

Je n'ai pas le temps de poursuivre cette réflexion critique qu'un des frères me félicite à la manière de l'Abbé de Rancé : *« Bienvenue! Le cimetière est au fond à droite! »* De fait, c'est la porte de sortie habituelle pour le moine, qui s'engage à vivre en un même lieu jusqu'à la mort.

Au terme de cette étape spirituelle, je révise ma définition de l'ascèse :

« Ce que Dieu me demande, c'est de me reposer pour que tout l'humain qu'il m'a donné soit le plus frais et dispos possible chaque jour pour faire de cet humain du divin. Il ne me demande aucun

---

(43) Mt 23,5.

autre effort que de dormir suffisamment et de soigner le corps qu'il m'a donné – "Dieu comble son bien-aimé quand il dort [44]".

« *L'ascèse d'aujourd'hui n'est pas la même qu'hier : un* trader *qui a connu des journées de travail de dix à douze heures, des* "warning calls" *la nuit, la fatigue nerveuse d'une perpétuelle course contre la montre, la surinformation et les sandwichs à midi doit apprendre à dormir suffisamment, manger correctement et éviter le surmenage.* »

Le songe marseillais et les enfants maghrébins des Quartiers-Nord semblent s'être envolés avec mes cheveux. Mais dès le 15 septembre 1991, après une conférence et un café avec Guy Gilbert, « curé des loubards », j'écris dans mon journal : « *J'ai pensé encore hier soir, et ce matin dans l'oraison, aux enfants musulmans de Marseille. Jésus les aime. Leur apprendre le français.* »

Pour l'heure, il est prudent de ranger cette idée récurrente dans la catégorie des « *tentations caritatives* ». Discerner, c'est d'abord résister. Le 15 avril, un moine bouddhiste coréen et un frère cistercien de Hong Kong, à qui je sers d'interprète, m'expliquent, d'un air entendu, que mon prénom en chinois s'écrit avec deux idéogrammes : « *persévérance* » et « *perspicacité* ». Me voilà bien équipé !

Trois mois plus tard, l'abbé Pierre, de passage au monastère, parle à la communauté. Il évoque sa rencontre avec Albert Einstein au lendemain de la deuxième guerre mondiale. Le prix Nobel de physique lui avait prédit que trois changements décisifs marqueraient le XXIe siècle.

Tout d'abord, la force nucléaire bouleverserait les relations internationales : les pauvres pourraient enfin devenir *puissants*. Ensuite, les progrès de la médecine modifieraient les données

---

(44) Ps 126,2.

démographiques : les pauvres deviendraient de plus en plus *nombreux*. Enfin, le développement des moyens de communication empoisonnerait les relations entre les peuples : grâce à la télévision, les pauvres pourraient *voir* l'univers des riches! Il ne s'agirait plus d'« *information* » mais de « *provocation* ».

Selon l'abbé Pierre, il faut se préparer, en France, à une vague massive d'immigration méditerranéenne, venant d'Afrique du Nord. Car la population de l'Algérie, du Maroc et de la Tunisie a triplé depuis la guerre. « *Lorsque ces pays étaient départements et protectorats français, ils représentaient un tiers de la population de la métropole. Aujourd'hui, c'est la France qui ne représente plus que deux tiers de leur population. Les mesures de protection aux frontières sont des palliatifs inefficaces.* »

Le lendemain de cet exposé d'un réalisme percutant, je note que « *je dois, non sans risque, me situer par rapport à l'islam dans les cinquante ans qui viennent (à Marseille ?) : c'est ce que j'ai compris lorsque j'ai démissionné de la Banque Indosuez* ». Je monte faire mon lit, puis sors dans le couloir. L'abbé Pierre est là, avec Père-Abbé. Il est sur le point de partir. Je le salue. Il me fait remarquer que nous portons le même prénom de baptême. Son sourire respire la bonté et l'affection. Il m'embrasse : « *Bonne route, Henry !* »

CHEVEUX BLANCS

Le 25 octobre 1991, les premières neiges couvrent le massif du Grand Arc. Une semaine plus tard, le monastère lui-même disparaît sous le manteau blanc des hivers savoyards. L'église est désormais chauffée. Mais la température des différents lieux de l'abbaye est inégale : je combats le froid en me couvrant d'un thermolactyl. Je lutte aussi contre moi-même.

Les vieux moines savent que les novices sont idéalistes. Au début, ils s'imaginent que tous les frères sont des saints. Puis vient le temps de l'amère désillusion : tous les frères sont des suppôts de Satan. Il faut patienter : ils finissent un jour par découvrir que les moines sont tout simplement des hommes. La réalité n'est ni blanche ni noire, mais grise.

Ce matin, mon maître des novices m'explique que j'ai traversé une période difficile mais que j'ai changé. Il est surpris par ma rapidité d'adaptation à la vie monastique. Pour ce qui me concerne, je me sens « *plus paisible* » et « *moins brûlé* ». Cependant, je voudrais ne jamais agir seulement « *par devoir* » avec « *un petit saupoudrage de piété* ». Être un « *religieux* » n'est pas assez : je veux être un « *amoureux* » : « *Aimer Dieu de tout mon cœur, de toute mon intelligence et de toute ma force et mon prochain comme moi-même vaut mieux que tous les sacrifices* [45]. »

Alors que mon rapport aux autres religions habite de plus en plus ma réflexion, je m'interroge : « *Les grandes questions du siècle me passionnent plus que jamais. Dès lors, comment me situer par rapport au "nada" de Jean de la Croix, à la "clôture" de saint Benoît et à "l'antihumanisme" de la Trappe?* »

Je me plonge dans la lecture d'Urs von Balthasar : « *Ce goût pour la lecture d'un théologien me surprend. C'est bon signe. En ce moment, Seigneur, je "m'intéresse" à Toi, à l'Église, aux religions et à l'homme. Ce qui est "définition du monachisme" et débat sur "l'identité cistercienne" m'ennuie. Je ne me pose pas de question sur ma vocation : je cherche la vérité comme avant – moine ou pas moine, peu importe!* »

En décembre, Enzo Bianchi, fondateur de la communauté monastique de Bose, dans le Piémont, vient prêcher notre retraite communautaire. Certaines de ses paroles m'enchantent : « *Il est important de développer son potentiel intellectuel, de développer tout l'être humain.* » Je me décide à le rencontrer personnellement. Il m'encourage à poursuivre mes lectures.

Le 3 janvier 1992, je suis à la porterie, car les frères sont tous en réunion communautaire. Encore novice, je ne participe pas à certains de ces échanges. La rencontre terminée, le portier en titre, père Claude, vient reprendre son poste. Nous en profitons pour discuter un peu de ce que frère Paul nous a dit la veille.

Revenu de Tibhirine pour une courte visite, il nous a brossé un tableau très sombre de la situation en Algérie. J'ai hérité de son psautier, bien noirci par ses mains de plombier. J'ai peur

---

(45) Mc 12,33.

pour lui et toute la communauté. En juin 1990, les candidats du Front islamique du salut (FIS) ont gagné les premières élections municipales pluralistes. À Médéa, la ville la plus proche du monastère, les islamistes ont emporté la totalité des sièges.

Avec la première guerre du Golfe, en janvier 1991, l'atmosphère s'est alourdie : les slogans anti-occidentaux et une certaine agressivité contre les chrétiens rendent la vie au Maghreb plus difficile. Il y a quelques jours, le 26 décembre 1991, le FIS a largement gagné le premier tour des élections législatives. Des deux côtés de la Méditerranée, c'est le choc.

Au moment même où nous parlons de ces événements arrivent cinq Algériens, accompagnés par un journaliste du *Courrier Savoyard*. Nous échangeons sur le succès du FIS. Tous sont hostiles à ce parti. Ils me prennent en photo en train d'emballer un fromage, comme il se doit, et nous nous quittons, heureux de ce moment fraternel. Le 8 janvier 1992, j'écris : « *Notre conversation, chaleureuse, m'a montré que ces musulmans-là étaient ouverts, désireux de venir à la Source.* »

Dès décembre 1990, la désintégration de l'empire soviétique me conduit, en stratège incorrigible, à « *repenser la relation Europe/Islam* ». Mon ami Jean-Paul Chalandon vient de m'envoyer le dernier rapport RAMSES (92), que je dévore aussitôt. Ce matin, j'étonne quelque peu un frère quand je lui montre une carte du monde et lui demande : « *Que vois-tu ?* » Il ne sait que répondre. « *Moi, je vois l'Europe entourée de pays musulmans, du Maroc jusqu'en Asie centrale* », lui dis-je.

Le 8 janvier 1992, je note encore que « *cette opposition entre démocraties libérales à économie sociale de marché et théocraties musulmanes inégalitaires à économie de rente (pétrolière) sera une des clés de lecture majeures du siècle à venir* ».

Le 11 janvier, l'état d'urgence est décrété en Algérie. Le Président Chadli Bendjedid démissionne. Le lendemain, les élections législatives sont annulées. Le FIS est frustré de sa victoire. Un Haut comité d'État (HCE) est créé, contrôlé par les militaires. Le 14 janvier, Mohamed Boudiaf, jusqu'alors exilé au Maroc, est nommé président du HCE pour combler le vide au sommet de l'État.

La France, quant à elle, est confrontée à la mémoire douloureuse de sa « sale guerre » en Algérie et doit faire face à une immigration de plus en plus visible en provenance du Maghreb. La question de l'intégration des jeunes de culture musulmane vivant dans ses cités HLM montre que le voisinage avec l'islam ne va pas de soi. Ni le monde musulman ni l'Europe n'ont vraiment digéré, semble-t-il, les invasions des uns et les croisades des autres. Beaucoup de méfiance et de peur se sont installées des deux côtés de la Méditerranée. On se connaît, en fait, si peu !

Toute la question est de sortir de cette coexistence malheureuse de manière pacifique. Car la mondialisation, avec ses avions, ses paraboles et Internet, accélère le brassage des populations : elles partagent aujourd'hui, dans nos villes, les mêmes immeubles. Le 15 mai, je pense à nouveau à ces réalités déconcertantes : « *Seule tentation : enseigner le français aux enfants musulmans de Marseille.* » J'ajoute : « *Choc : je viens de découvrir que j'ai des cheveux blancs.* »

DE LA CHAIRE À LA CHAIR

Le 6 août 1992, je reçois un fax d'Enzo Bianchi qui me félicite pour les vœux temporaires que je prononce aujourd'hui, au terme de mes deux années de noviciat. La communauté a voté : elle m'accepte en son sein. Ces vœux consistent à s'engager à vivre une conversion de vie sous l'autorité d'un abbé, dans un seul et même monastère. Les vœux temporaires se renouvellent chaque année jusqu'à la profession solennelle, qui a lieu trois ou quatre ans plus tard.

La remise du scapulaire [46] noir lors de ce passage de l'état de novice à celui de profès temporaire se déroule dans la salle du chapitre en présence de toute la communauté. Pour la messe, une partie de ma famille est là. C'est mon frère Paul, prêtre

---

(46) Le scapulaire (du latin *scapula,* épaule) est un vêtement porté par les moines. Il couvre les épaules, le dos et la poitrine. Il comporte aussi un capuchon. À l'origine, c'était un vêtement de travail destiné à protéger la tunique des frères. Aujourd'hui, il permet, chez les cisterciens, de distinguer les novices (scapulaires blancs) des moines ayant fait des vœux temporaires ou définitifs (scapulaires noirs).

du diocèse de Paris, qui préside l'Eucharistie. Aux yeux de certains, je commence à faire partie de cette élite des « parfaits » qui suivent les « conseils évangéliques » : obéissance, pauvreté et chasteté.

Mais les hommes et les femmes mariés et salariés n'obéissent-ils pas tout autant à leur conjoint et à leurs supérieurs hiérarchiques dans l'entreprise ou les administrations? Parmi les six milliards d'êtres humains qui peuplent notre planète, l'immense majorité ne vit-elle pas dans une pauvreté subie bien plus terrible que celle de notre spacieux monastère du XVIIe siècle? La chasteté n'est-elle pas une vertu chrétienne que tous sont appelés à vivre, mariés ou célibataires, invités à la fidélité et au respect de l'autre?

L'Église ne saurait se réduire à d'angéliques célibataires ou à une morale proclamée du haut d'une chaire. C'est crucifié dans sa *chair* avec lui que Jésus promet d'accueillir au paradis le malfaiteur devenu « bon larron [47] ». À Tibhirine, frère Paul est passé, lui aussi, de la *chaire* à la *chair*. Le 22 novembre 1992, pour la fête du Christ-Roi, en séjour à Tamié, il nous rappelle que l'Église est un corps mystique vivant, continuellement bousculé par le Serviteur souffrant qu'elle cherche à suivre dans son abaissement [48].

Bousculés, nos frères Pierre, Bernard, Victor et François-de-Sales, moines au Zaïre, le sont eux aussi : au printemps 1993, ils hébergent plus de huit cents réfugiés quand les massacres se multiplient à quelques kilomètres du monastère de Mokoto. Père Ælred, lui, a terminé sa course ici-bas. Je l'ai connu à Latroun en Israël. Il avait vécu à Tibhirine de 1969 à 1973. Le 24 mai,

---

(47) Lc 23,43.
(48) Cf. Ph 2,7.

nous célébrons ses funérailles en chantant cette phrase de saint Augustin qu'il avait mise en musique : « *Tu nous as faits pour toi, Seigneur, et notre cœur est sans repos tant qu'il ne demeure en toi.* »

Au noviciat, quelques voyages sont organisés. Le 26 mai 1993, nous visitons le monastère de Bose. D'emblée, je suis séduit par ce petit hameau piémontais restauré, sans mur de clôture ni touristes. La communauté se retrouve pour seulement trois offices. Le travail intellectuel et artistique est encouragé. Les moines et les retraitants sont jeunes. Ceux qui en ont besoin peuvent dormir plus de huit heures. Les frères ne portent pas l'habit et, pour certains, travaillent à l'extérieur. Ils étudient et prient dans leurs cellules et tous participent à l'accueil des hôtes. « *Enzo Bianchi nous fait la visite toute l'après-midi. Une pensée, peu à peu, envahit mon esprit : il faut que je revienne ici.* »

De retour à Tamié, je suis invité à répondre, quelques mois plus tard, à un sondage sur « *l'identité contemplative cistercienne* » en vue du prochain chapitre général de l'Ordre. Il réunira tous les abbés en septembre 1993 à Poyo, en Espagne. À mes yeux, le génie cistercien au XIIe siècle consistait à sortir du système clunisien. Celui-ci s'était écarté du style de vie dépouillé prôné par Benoît. Aujourd'hui, la problématique est tout autre : la différence avec les bénédictins ne réside plus dans l'existence de frères convers[49] puisque les trappistes ont renoncé à cette organisation du travail dans les années soixante; elle ne tient pas plus à la liturgie ou à l'architecture. Il faut revenir à l'essentiel de la vie

---

(49) Les frères convers assuraient l'essentiel des travaux manuels de la communauté pendant que les « moines de chœur » chantaient les sept offices prévus par la Règle de Benoît. Cette répartition des tâches permettait au monastère de vivre réellement du travail manuel et non des honoraires de messes et autres dons de la noblesse.

monastique dans une culture et une économie nouvelles. C'est le projet de Christian de Chergé à Tibhirine :

« Pour notre voisin, qui suis-je ? Cistercien ? Connaît pas ! Trappiste ? Encore moins. Moine ? Même le mot arabe qui dit la chose n'est pas de son répertoire. D'ailleurs, lui ne se demande pas qui je suis. Il le sait. Je suis un roumi, *un chrétien. Voilà tout. Et il y a dans cette identification générique quelque chose de sain et d'exigeant. Une façon comme une autre de rattacher la profession monastique au baptême [50]. »*

Où en suis-je de mon baptême ? Au bout de ma première année comme profès temporaire, frère Antoine me demande de remplir une fiche qui a pour titre *« Unifier, clarifier ma vie »* – une sorte de contrôle technique pour les moines. Quand on me demande *« ce qui me dynamise »,* je songe surtout aux rencontres.

J'ai été marqué par René, séropositif, stagiaire ici pendant plusieurs mois. Il suivait un traitement médical et un régime alimentaire précis. Pour la première fois, j'ai écouté des conseils diététiques, car mon interlocuteur ne cherchait pas à soigner son apparence : il luttait pour sa survie !

Je me souviens aussi d'un jeune professionnel diplômé d'HEC. Il voulait rejoindre la communauté après de terribles souffrances : sa femme avait été assassinée à leur domicile sans mobile apparent. Il avait évidemment été suspecté par les enquêteurs, et la presse s'en était fait l'écho. Pour couronner le tout, lui aussi avait découvert qu'il était séropositif. La communauté avait organisé un scrutin pour décider si l'on pouvait accepter un frère menacé

---

(50) Citation reprise dans Henry Quinson, « Les sept piliers de Tibhirine », *monastic.org,* mars 2006.

du SIDA. Le vote avait été négatif. J'avais fondu en larmes dans les bras de ce frère, sous le clocher de l'église.

Je me rappelle également cette nuit où, après les vigiles, je donnais le petit-déjeuner à Jean-Bernard, handicapé moteur qui ne peut s'exprimer qu'en pointant maladroitement son doigt vers un alphabet attaché à sa chaise roulante.

J'étais avec Nicolas, repris de justice qui avait tué sa « copine » avec un revolver mais avait raté son suicide. Ce qui restait de ce moment terrible, c'était une mâchoire dissymétrique et un être humain attachant. Nicolas expliquait à « Jean-Ber » que la vie au monastère était trop dure. Mais Jean-Bernard s'était mis à gesticuler : *« C'est encore plus dur dans le monde! »* Empoignade et fou rire. J'ai aimé ces moments non prévus par les statuts de l'Ordre cistercien de la stricte observance.

Dans la rubrique *« Ce qui est à clarifier »*, je regrette de ne pouvoir dessiner et peindre plus souvent. J'ai réalisé une icône de saint Pierre et saint Paul pour mon frère prêtre, mais le temps manque, coupé par les sept offices quotidiens.

Je souffre aussi de n'avoir personne à qui parler de mes découvertes intellectuelles alors que j'entreprends une relecture de l'histoire du monde. En lisant les seize volumes d'une magnifique encyclopédie illustrée [51], je découvre que l'humanité a suivi des étapes de développement similaires à ceux de tout individu (et réciproquement).

Par exemple, le fœtus commence sa vie dans l'eau comme la vie sur terre a débuté dans le milieu aquatique. Un enfant commence par dessiner : l'humanité également couvre ses grottes de fresques avant d'apprendre l'écriture. L'adolescent découvre

---

(51) Hans H. HOFSTATTER, Hannes PIXA, *Histoire comparée des civilisations,* Cercle européen 1964.

que le monde est plus large que sa famille et remet en question l'autorité de ses parents : de même, les « grandes découvertes » aboutissent à une contestation des dogmes et de l'obéissance à Dieu. La croissance rapide du corps en puberté se retrouve dans l'explosion démographique des temps modernes. L'humanité n'est-elle pas sur le point de devenir « adulte » en reconnaissant son Père tout en vivant sa vie de manière responsable et créative ? Question théologique majeure !

Ce goût pour la réflexion me vaut une charge nouvelle. À partir du 7 juin 1993, Père-Abbé me confie la revue de presse hebdomadaire. L'actualité est bien remplie et nous touche directement. Le 29 juin 1992, le Président Boudiaf est assassiné dans des conditions pour le moins obscures. L'Algérie sombre à nouveau dans la violence. Le 30 octobre 1993, le GIA lance un ultimatum aux étrangers, leur intimant l'ordre de partir dans les trente jours. Nos frères de Tibhirine sont potentiellement visés : ils décident de rester.

Le 15 décembre, douze expatriés croates sont assassinés à trois kilomètres du monastère. Le 24 décembre, l'émir du GIA local, Sayah Attia, pénètre avec ses hommes dans le prieuré. Ils épargnent nos frères. La communauté est ébranlée. Père-Abbé nous lit une lettre de Christophe : « *Ce Noël ne fut pas comme les autres. Il est encore tout chargé de sens. Le sens, comme un glaive, nous transperce* [52]. »

Le 6 janvier 1994, Paul et Célestin quittent Alger pour Marseille. Ils arrivent le 9 au soir à Tamié et nous expliquent la situation en détail, ce qu'ils ne pouvaient faire au téléphone ou par lettre. J'observe que « *nos frères sont en danger de mort actuel-*

---

(52) La lettre de Christophe est reproduite pp. 121-125 dans *Sept Vies pour Dieu et l'Algérie*, Bayard/Centurion 1997.

lement. Il est probable que la communauté quitte le pays. Notre religion, ce n'est pas le martyre exprès pour "gagner" le Ciel! Tout cela est affligeant et me fait craindre une résurgence des guerres de religion ».

Le 22 janvier, le quotidien *La Croix* publie un article de Christian [53] dans lequel il proteste contre la barbarie : « *Si nous nous taisons, les pierres de l'oued hurleront!* » Célestin est hospitalisé et opéré du cœur à Nantes le 20 février. Il revient plusieurs semaines à Tamié pour une période de convalescence. Je mesure le degré de tension nerveuse qui règne en Algérie : comment dormir quand on sait qu'à tout moment un groupe armé peut entrer dans votre chambre et vous égorger sans raison?

Du 11 au 13 mars, Enzo Bianchi est de retour à Tamié pour une session sur la *lectio divina*. Je lui explique que je manque de sommeil : l'horaire trappiste m'empêche de me reposer plus de sept heures par nuit. Il se dit prêt à m'accueillir à Bose pour trois mois. On peut y dormir plus de huit heures. Mais mon esprit est pour l'instant absorbé par les violences en Algérie.

Le 8 mai, frère Henri Vergès et sœur Paul-Hélène Saint-Raymond sont abattus à Alger, premiers religieux chrétiens victimes du GIA. Frère Christophe se propose pour remplacer Henri au *Ribât es-Salâm*, groupe de rencontre islamo-chrétienne qui se réunit parfois à Tibhirine. En attendant, il revient en France du 13 au 30 mai.

Père Claude va le chercher à Albertville. Un ouvrier du monastère le salue : « *Alors, tu es toujours en vie?* » Sourire : « *Non, je suis* déjà *en vie.* » Il préside l'Eucharistie le vendredi. Il

---

(53) *Ibid.*, pp. 126-132.

est ému. « *"M'aimes-tu ?"*, demande le Christ. *Question créatrice, libératrice, ouvrant au cœur de chacun la réponse* [54]. »

Christophe est venu pour l'ordination de frère Philippe. Le 22 mai, je m'étonne de le voir parmi les enfants assis dans le chœur de l'église. C'est un spectacle inhabituel juste avant le début d'une Eucharistie monastique. « *La lumière n'est pas inaccessible,* écrit-il dans un de ses poèmes : *simplement à hauteur d'enfant* [55]. » Son témoignage devant l'évêque est, lui aussi, surprenant : « *Oui, je certifie que mon ami Philippe est vulnérable, vulnérable à l'amitié...* »

Le 31 mai, je rencontre Père-Abbé. De notre entretien je repars vulnérable, moi aussi. Selon lui, les peurs révèlent un désir. Y a-t-il un désir profond que j'essaie d'étouffer ?

(54) Christophe Lebreton, *Le Souffle du don,* Bayard/Centurion 1999, p. 90.
(55) Christophe Lebreton, *Aime jusqu'au bout du feu,* Monte-Cristo 1999, p. 147.

VOIR ET DEMANDER LA LUNE

« *Quand l'imbécile regarde le sage pointer son doigt vers la lune, il ne voit que le doigt* », dit un proverbe oriental. Ainsi en est-il de certains vacanciers qui déferlent l'été sur le monastère. Chaque année, ils sont plus de cent vingt mille à visiter le vallon entre juin et septembre. Ceux pour qui la terre est tout et le Ciel n'est rien voient le moine mais ne portent pas leur regard vers Dieu. Pourtant, le moine est un panneau indicateur qui signale une direction : celle du Très-Haut présent ici-bas. La vie évangélique a valeur en elle-même mais elle est aussi un signe. Encore faut-il avoir allumé ses phares antibrouillard.

Le 4 août 1994, je me rends en bleu de travail au centre d'accueil pour effectuer des travaux d'isolation. Un groupe de touristes du troisième âge m'arrête.

– *Jeune homme, savez-vous s'il y a encore des moines ici ?*

– *Vous en avez un devant vous.*

– *Mais vous êtes bien jeune pour être moine ! Et vous ne portez plus l'habit ?*

– *Mettez-vous une cravate pour aller faire de la plomberie, monsieur?*

Je prends congé de ces estivants qui ne me posent aucune question sur Dieu. Je leur ressemble : moi, je sais que Dieu est partout; pourtant, mon esprit est si souvent ailleurs!

Après quatre ans et demi de noviciat, je mesure toujours plus mes limites. Ce soir, je me présente à nouveau devant la communauté pour qu'elle vote. Il s'agit d'un sondage, un an avant mon éventuelle admission à la profession solennelle qui me lierait à la communauté pour la vie. D'emblée, je reconnais que ces deux dernières années ont été laborieuses : « *J'ai dû mener un triple combat contre l'ennui, la fatigue et certains sentiments de frustration.* »

La communauté m'écoute avec attention. « *Lorsque je parle d'ennui, je ne veux pas dire que j'ai manqué d'occupations. C'est tout le contraire! En revanche, j'avoue avoir ressenti la perte de mon métier : je n'ai plus la même satisfaction d'exercer des compétences techniques et des responsabilités relationnelles. Faute d'avoir été formé à une autre profession ces dernières années, j'ai eu l'impression de perdre un peu de ma densité humaine.* »

Je nuance toutefois mon propos : « *Une autre explication peut être avancée pour expliquer ce sentiment d'ennui : la fatigue. Je souffre depuis que je suis ici de maux de tête récurrents et parfois de malaises. Or il s'avère que ces symptômes sont classiques chez ceux qui manquent de sommeil et je sais qu'il me faudrait plutôt huit heures de sommeil que sept – je le savais avant d'entrer au monastère. Je me rends compte aujourd'hui combien ce manque chronique de repos a affecté mon tonus dans mes activités quotidiennes.* »

Je sens que j'ouvre un débat communautaire sensible. On risque de voter en fonction des questions que je soulève plus que de mon propre avenir. « *Enfin, une troisième difficulté qui s'est présentée à moi est celle d'un certain nombre de frustrations. Notre horaire et notre espace de vie sont très serrés. L'absence de lieu officiel de solitude est pour moi un fardeau.* »

La communauté attend maintenant que j'explique pourquoi je veux poursuivre ma vie à Tamié : « *Trois convictions m'habitent : je crois être appelé au célibat, je mesure les bienfaits d'une vie communautaire et je m'appuie sur la patience.* » Je conclus en soulignant les perspectives positives qui s'ouvrent devant moi : plus de temps pour étudier, une dispense de vigiles hebdomadaire et des emplois plus gratifiants et moins néfastes pour mon dos. Après quelques questions, je laisse la communauté débattre en mon absence.

En attendant le résultat des délibérations, Jean-Michel Beulin se confie à moi. Ce jeune frère d'Orléans, historien de formation, est arrivé au noviciat récemment. Chaleureux et passionné, il a quitté les assomptionnistes après ses études de théologie pour mener une vie plus « contemplative ». Mais le noviciat lui paraît vite étouffant. À l'écouter, il a besoin de plus d'ouverture, de profondeur dans la réflexion et de créativité.

Une semaine plus tard, Père-Abbé me rapporte la conclusion du sondage : elle est positive. Mais quelle est la portée exacte de cette consultation ? « *La communauté pense que tu es fait pour vivre ici et que, en dépit des difficultés rencontrées, elle reconnaît en toi une vocation en mouvement.* » Après avoir obtenu quelques précisions sur le sens exact de cette formule alambiquée, je comprends que la balle est dans mon camp.

Or dans mon camp règne beaucoup d'angoisse, car je sens que mon cœur n'est pas encore décidé. Le jour même, j'écris à Enzo Bianchi pour l'informer des obstacles tels que le manque de sommeil et l'absence d'un lieu pour lire et prier seul à seul avec Dieu. Je mentionne aussi mon « *incertitude quant à un éven-*

tuel appel à la vie caritative auprès des plus pauvres (alphabétisation et catéchisme des enfants d'immigrés) ». Ma « vision » marseillaise ne s'est pas évanouie dans la cave à fromage.

Le 22 août, je communique deux textes à Père-Abbé. Le premier démontre que, d'après les calculs établis selon les heures romaines, la Règle de Benoît prévoit environ huit heures de sommeil pour les moines. Le second émane du corps médical. Il établit que certaines personnes ont besoin de six à sept heures de sommeil tandis que d'autres doivent dormir huit à neuf heures pour demeurer en bonne santé.

Ma question est donc simple : « *On m'a fait un lit sur mesure pour "caser" mon corps d'un mètre quatre-vingt-quatorze qui ne tenait pas sur une planche "standard" : ne pourrait-on pas faire de même pour mes huit heures de sommeil? »*

Le vendredi 9 septembre, la visite de Christian de Chergé, prieur du monastère de Tibhirine en Algérie, me confronte à des questions beaucoup plus graves. Je suis chargé d'enregistrer sur cassette son intervention en communauté. C'est la première fois que je le vois en chair et en os. De son allure aristocratique et de sa simplicité grave se dégage un rayonnement charismatique physiquement palpable. Le ton est posé mais le regard brille d'un feu que l'on devine dévorant.

Christian revient sur la situation inquiétante en Algérie et les risques pesant sur sa communauté depuis décembre 1993 : « *Nous sommes devenus un "vivier" offrant une réserve de proies faciles. »* Il souhaite rester à Tibhirine par solidarité avec ses voisins, qui n'ont aucun refuge à leur disposition. Chacune de ses phrases semble mûrement pesée. J'ai l'impression d'écouter un testament spirituel. Père-Abbé me prend aussitôt la cassette pour éviter qu'elle ne circule en dehors du monastère : la situation est dangereuse.

À frère Philippe, qui se rend régulièrement à Tibhirine pour apporter une aide liturgique, j'exprime le lendemain, à mots couverts, mon pessimisme quant au sort de nos frères. Mais je comprends bien leur choix de rester. Le Christ est demeuré homme parmi les hommes jusqu'à la croix. À sa suite, ils ne peuvent pas déserter.

Le 9 octobre, nous avons une réunion communautaire sur les horaires de travail et le sommeil. Plusieurs frères opposent des raisons de principe à toute modification du temps de sommeil. Selon eux, l'horaire, c'est « *l'objectivité* », « *l'ascèse* », « *la Trappe* ». Bref, les personnes n'ont qu'à s'adapter ou se retirer. Personne ne prend la défense de ma position réformatrice. Me voilà acculé au départ. J'ai tout fait pour qu'un aménagement soit possible. Mais la communauté ne veut pas d'un tel changement. Je respecte ce choix. Je dois maintenant discerner où partir.

Le 18 octobre, je rencontre Père-Abbé. Selon lui, je ne dois pas quitter le monastère tout de suite : mieux vaut attendre février – six mois avant ma possible profession solennelle – et « *demander au Seigneur un miracle* ». Pour moi, le miracle ne pouvait venir que de la communauté et il n'a pas eu lieu. Dieu n'est pas seulement dans le Ciel pour y être « contemplé ». Il est littéralement entre nos mains à chaque Eucharistie pour nous rappeler que notre avenir est, lui aussi, entre nos mains.

L'Algérie m'aide à relativiser mes déboires : le 23 octobre, deux sœurs augustiniennes sont tuées alors qu'elles se rendent à l'église dans le quartier de Bab el-Oued à Alger. Depuis septembre, le GIA est dirigé par un nouvel « émir suprême », cruel et mystérieux personnage dont on ne possède qu'une seule photo. Certains se demandent même si Djamel Zitouni existe vraiment. Il pourrait être une création de la sécurité militaire algérienne pour discréditer le mouvement islamiste. D'où vient la barbarie et qui sert-elle? La situation devient de plus en plus trouble et dangereuse. Néanmoins nos frères de Tibhirine tiennent bon.

Le 25 octobre, Enzo Bianchi m'appelle au téléphone : je suis le bienvenu à Bose; il voudrait que je donne des cours d'anglais à sa communauté. Mais Père-Abbé souhaite toujours que je reste ici jusqu'en février. Trois jours plus tard, pendant l'oraison qui suit les vêpres, un de mes voisins se met à ronfler. C'était un ardent défenseur de « l'ascèse trappiste » il y a seulement une semaine.

À l'ironie amère, je préfère la conversion constructive : est-ce que je cherche le Christ dans les faibles? Est-ce que je les sers? Sans doute suis-je comme ces touristes spirituellement aveugles qui ne voient que le doigt du sage et non la lune : je suis obsédé par cette question du manque de sommeil alors que cet obstacle infranchissable est peut-être une porte libératrice, un signe de Dieu qui pointe vers une autre direction. Condamné par mon point faible, ne suis-je pas invité à mettre mes points forts au service de tous les exclus de notre société? Le discernement chrétien, c'est sans doute l'art de voir et demander la lune.

DÉTOURNEMENT DE TRANSCENDANCE

25 décembre 1994. Sombre Noël : un commando du GIA prend le contrôle d'un Airbus d'Air France à Alger. Il demande la libération de prisonniers islamistes. Au nom d'Allah, il tue trois des deux cent quarante passagers. *« Détournement de transcendance »*, commente un éditorialiste. Le Premier ministre français, Édouard Balladur, réussit à faire décoller l'avion et à convaincre les terroristes d'atterrir à l'aéroport de Marignane, prétextant un manque de carburant. Les autorités françaises craignent en effet une opération suicide sur la Tour Eiffel ou sur Notre-Dame de Paris. Le GIGN intervient et abat les quatre islamistes.

Dès le 27 décembre, quatre Pères blancs sont assassinés en représailles à Tizi-Ouzou. Le 11 janvier 1995, frère Paul nous envoie ses vœux, que Père-Abbé nous lit au chapitre avec gravité : *« Nos huit martyrs de l'année 1994 n'ont pas été victimes du hasard. Quant à nous, le groupe qui règne sur notre secteur, et qui a eu les honneurs de la télévision française il y a quelques semaines, n'a pas jugé intéressant jusqu'à ce jour de nous mettre à son palmarès. En cas de "raison d'État", les autres peuvent faire pression sur lui pour qu'il tire profit de la cible de choix très facile que nous formons* [56]. »

C'est dans ce contexte que je revois Père-Abbé le 1er février. Nous nous étions fixé cette date pour prendre une décision concernant mon avenir. Le retour des maux de tête la semaine dernière a tranché. Père abbé me propose, dans un premier temps, de partir un mois en retraite de discernement. Derrière la question du sommeil se pose en effet le problème de l'appel du Seigneur pour moi aujourd'hui :

« *Où veux-tu que j'aille maintenant? Revient spontanément l'enseignement auprès des enfants immigrés pauvres. Cet appel me faisait peur en 1989. J'avais besoin d'une coupure et de prière, j'étais encore incertain quant à ma capacité à vivre chastement le célibat. J'avais besoin de souffler, de retrouver mes marques. J'avais soif de silence. Depuis, il y a eu une évolution : désir d'ouverture et de don, caritatif ou apostolique.* »

Dès le lendemain, Enzo Bianchi me téléphone. Il me propose de venir à Bose pour trois mois. Père-Abbé accepte mais veut que je reste à Tamié jusqu'à la fin de l'enregistrement du prochain CD de la communauté. Me voilà bien occupé à nouveau : chant, information sur la campagne présidentielle française, devoirs de théologie, grec du Nouveau Testament, lecture de C.S. Lewis et apprentissage de l'italien.

La Règle de Benoît prévoit que les moines lisent un ouvrage spirituel durant le carême : le mercredi des cendres, je reçois des mains de Père-Abbé *Points de vue actuels sur la vie monastique*, un ouvrage publié en 1966, au lendemain du concile Vatican II. Les contributeurs y évaluent la pertinence du monachisme à

---

(56) Cette lettre de Paul est reproduite *in extenso* pp. 146-149 dans *Sept Vies pour Dieu et l'Algérie*, Bayard/Centurion 1997.

la lumière de la théologie conciliaire et des défis du monde moderne.

Pour Yves Congar, « *un certain malaise existe parmi les moines. L'idéal classique cherche le salut et la sainteté par la fuite du monde. Or le mépris du monde ne peut plus être professé tel quel aujourd'hui. Le monachisme est maintenant conçu comme lié au monde. Il apparaît comme devant être une fonction dans l'Église de Vatican II, qui se veut au service des hommes.* »

Selon Philippe Delhaye, théologien aux Facultés de Lille et de Montréal :

« *L'idéal contemplatif des moines paraît beaucoup plus proche de la philosophie néoplatonicienne que de l'Évangile. Pour les Grecs, l'intelligence a une importance bien plus grande que la volonté. Les meilleurs d'entre eux songent à entrer en contact avec "le divin" beaucoup plus qu'à pratiquer la bienfaisance.*

« *Les moines d'aujourd'hui ne seraient-ils pas bien avisés de vivre plutôt comme les apôtres et les disciples du Seigneur, dans la retraite et la prière certes, mais aussi dans une certaine action de charité spirituelle et matérielle ? Je me demande si certains moines n'y trouveraient pas plus d'équilibre psychologique. Notre Seigneur alterne prière et apostolat. Est-ce déchoir que de l'imiter ?* »

À mes yeux, cette réflexion ne s'applique pas à la communauté de Tamié. Car tous les monastères bénédictins et cisterciens accueillent largement : il y a autant de retraitants chaque semaine à l'hôtellerie que de moines en clôture. La vie monastique traditionnelle ne se résume pas à la prière et au travail – *ora et labora*. Elle est fondée, depuis les origines, sur un troisième pilier : l'hospitalité. C'est une forme indéniable de « *service des hommes* », de « *charité spirituelle et matérielle* » et d'« *apostolat* ».

Dans cette optique, le philosophe Michel Henry propose aux moines de créer un « *climat de vie chrétienne contagieuse* » qui aboutit à une « *promotion religieuse et humaine du voisinage* ». Le monastère doit demeurer « *la maison que les pauvres affectionnent* ». Le dominicain Jean-Marie Tillard se risque à une proposition audacieuse :

« *Pourquoi, dans le rayonnement et sous l'autorité directe du monastère, ne permettrait-on pas l'existence de petites cellules monastiques disséminées çà et là dans la masse des hommes, dont les membres ne seraient pas nécessairement "assignés" pour toujours et pourraient, quand ils le voudraient, revenir au monastère, et dont les formes seraient aussi variées que les divers appels adressés par l'Esprit ?* »

Voilà la réponse à ma prière. Cette formule me permettrait de rester membre de ma chère communauté de Tamié tout en vivant, pour un temps au moins, dans une cité HLM à Marseille ou ailleurs, avec un travail éducatif et suffisamment de sommeil. Mais, à ce jour, seuls les moines de Taizé se sont aventurés à créer ces petites fraternités en quartiers pauvres. Je suis donc, malheureusement, condamné à partir.

À la veille de mon départ pour Bose, un jeune frère demande à me parler. Nous nous retirons dans une pièce à part. Il m'assure que la communauté a voté massivement en faveur de mon éventuelle profession solennelle à Tamié. Il trouve que j'ai ma place ici. Après une demi-heure de conversation, je le quitte heureux d'être apprécié mais frustré de n'être pas entendu sur la question du sommeil. Je sors dans le jardin pour me dégourdir les jambes, respirer l'air pur du dehors et admirer le ciel cristallin.

Un avion passe silencieusement au-dessus du monastère, très haut dans l'azur. Je pense à tous ces détournements de transcendance : certains détournent des avions, d'autres l'Évangile. Pourquoi, au nom du Coran, tuer des civils innocents ? Je ne peux l'accepter. Pourquoi, au nom des constitutions de l'Ordre cistercien de la stricte observance, me refuser huit heures de sommeil ? C'est différent : l'enjeu est moins grave et je suis libre de partir.

Jésus, lui, accueille tous ceux que les normes religieuses ou sociales tiennent à l'écart. Je n'ai pas de souci à me faire : il n'a écrit aucune règle. Il était et demeure relation vivante de Dieu au monde. L'Évangile est plus qu'un code de bonne conduite : c'est un heureux événement, une histoire d'amour, un souffle créateur. « *La lettre tue, l'Esprit vivifie* [57]. »

---

(57) 2 Co 3,6.

UN PETIT AIR DE JAZZ

Ce 27 mars 1995, j'arrive au monastère de Bose pour le repas du soir. Le lieu est toujours aussi charmant. De ma chambre, au troisième étage, je jouis d'une vue imprenable sur le Mont Rose, le deuxième plus haut sommet des Alpes. La France a disparu derrière cet unique mur de clôture. Le parc national du Grand Paradis n'est pas loin.

Ai-je pour autant quitté le purgatoire de mes interrogations sur l'avenir ? Seule l'épreuve du temps permettra d'y voir plus clair. Pour l'heure, les dernières caresses du soleil sur les neiges éternelles m'ôtent toute nostalgie : le vallon de Tamié était magnifique mais plus encaissé. *« Le monastère est d'un style rustique que j'affectionne. Quel soulagement d'avoir de l'espace pour la solitude : ma chambre est de taille humaine par rapport à ma cellule sous les toits de Tamié ! »*

La communauté de Bose est née en 1965, dans le sillage du concile Vatican II, quand Enzo Bianchi a décidé de commencer à vivre, seul, dans une maison de ce hameau abandonné. Les premiers frères l'ont rejoint trois ans plus tard. Aujourd'hui, la communauté est composée de près de quatre-vingts personnes, hommes et femmes.

Ce matin, Enzo et Guido me font visiter les nouvelles constructions. Les habitations fourmillent de petits escaliers de bois qui tournent le long des murs, de vasques de fleurs, de pigeonniers et de fresques colorées sous le porche des maisons. Enzo, toujours aussi enthousiaste, me confie : « *Si je vais en enfer, ce sera à cause de ma passion excessive pour la beauté!* » Cet amateur d'icônes et d'art a réussi à faire de ce groupe de fermes jadis en ruine un lieu vivant et attirant.

Épuisé par six ans de rythme trappiste, je reprends des forces : « *Cela fait du bien de respirer! Moins d'offices ici : trois au lieu de sept, soit deux heures au lieu de quatre. Enzo m'a demandé de me reposer une semaine : c'est la première fois depuis six ans que je peux rester tranquille deux jours de suite. La fatigue de Tamié était folle! Je peux enfin dormir huit heures toutes les nuits et ainsi être en forme, dynamique!* »

Le 6 avril, je reçois la lettre d'une religieuse dominicaine avec qui j'ai animé deux colonies de vacances dans l'Aveyron quand j'étais étudiant : « *Je te souhaite d'expérimenter une nouvelle vie communautaire plutôt que de tenir coûte que coûte. Il y a une multitude de jeunes, d'"exclus" de toutes sortes, qui ont besoin de rencontrer des hommes équilibrés, qui ont consacré leur vie au Seigneur... mais qui ne viendront pas jusqu'à Tamié!* »

Cette question du rapport au monde me tourmente. Yves Congar m'aide à y voir plus clair :

« *Le style évangélique de la présence de l'Église au monde se résume en trois mots :* koïnonia *(communauté),* diakonia *(service) et* marturia *(témoignage). Nous entrons dans un héritage dont l'archaïsme, la rigidité et le poids risquent de nous empêcher d'être présents aux hommes comme l'Évangile nous le demande. Il y a des formes de respectabilité, des formes d'aura ou de mystère entretenu autour de nous, qui ont aujourd'hui un résultat contraire à celui qu'on souhaiterait. Elles n'éloignent pas seulement les hommes de nous, elles nous tiennent éloignés d'eux en nous rendant morale-ment inaccessibles le monde réel et leur vie. Ceci est extrêmement grave* [58]. »

Alors que je médite ces paroles sans concession, Enzo frappe à la porte de ma cellule. Il a une idée d'emploi pour moi : peindre des soleils en terre cuite. Un frère en a réalisé une série à partir d'une sculpture rapportée d'Indonésie. Je dois aussi peindre des christs catalans. Il me donne des pots de peinture acrylique : je peux travailler dans ma chambre. Je suis ravi. En revanche, il ne me parle plus de la session d'anglais que je devais animer. Il est vrai que Pâques approche : la liturgie et les travaux du jardin accaparent de plus en plus les énergies.

Le 8 avril, Enzo vient voir mon premier soleil asiatique. Il descend le montrer aux frères et aux sœurs. Ils sont très contents. Mon œuvre est aussitôt exposée sur un mur. Je reçois des éloges en italien. J'explique que, par miracle, je comprends les compli-ments dans toutes les langues. Enzo m'embrasse. Cet interlude fraternel m'épanouit, me construit, me donne envie d'aller plus loin. L'usage positif de la parole m'avait un peu manqué, au début, à Tamié.

Bose est finalement si paradisiaque que mon éternelle question revient au galop : « *Enzo aime beaucoup "les gens", "la beauté" et "l'intelligence". Mais qu'en est-il de la diaconie au service des pauvres ?* » Lino, le maître des novices, m'assure que la commu-nauté accueille aussi des gens modestes, mais dans la discrétion. Enzo visite des malades du SIDA.

---

(58) Yves CONGAR, *Pour une Église servante et pauvre*, Cerf 1963, p. 136.

Je rêve néanmoins d'un monastère où domineraient les peaux plus foncées du sud de la Méditerranée. Je décide d'en parler à Enzo après la prière du soir. En guise de réponse, il m'invite à venir goûter sa dernière liqueur, fruit de quatre années de recherche! L'alcool monastique doit posséder des vertus de guérison intérieure, car je retrouve peu à peu ma sérénité. Finalement, entre Bose et Tamié, il y a toute la différence qui distingue le jazz de la musique classique : ici, on accorde beaucoup de place à l'improvisation.

Arrivé par la capricieuse poste italienne, un mot fraternel de Jean-Michel Beulin prolonge ma méditation musicale : dans l'orchestre symphonique de Tamié, ses variations évangéliques exigeantes et déliées me rappellent aussi La Nouvelle-Orléans. Les deux styles s'accorderont-ils encore longtemps? Un nouveau genre de moine, métissé d'ancien et de nouveau, serait-il en train de naître?

QUAND LE CIEL SE VOILE

C'est le printemps : le ciel se voile. Je comprends pourquoi je n'avais pas remarqué la vue sur le Mont Rose il y a deux ans : il disparaît souvent dans la brume jusqu'au mois d'août, quand le climat devient humide. Presque un mois après mon arrivée, Enzo m'invite dans la petite maison qu'il occupe avec quatre autres frères.

Au milieu de sa vaste collection de hiboux, il me confie qu'après la retraite communautaire de 1991, il avait dressé un bilan avec Père-Abbé et son conseil. J'étais celui qu'il fallait « *le plus préparer pour l'avenir de la communauté* ». Je lui demande pourquoi, à son avis, il m'a fallu cinq ans pour découvrir que je devais quitter Tamié.

« *Ta vocation monastique est authentique, m'assure-t-il, mais, comme moi, tu as finalement découvert qu'un cadre traditionnel étouffait ton développement humain et spirituel.* » Je suis troublé. J'aimerais tant rester à Bose, mais je ne peux m'empêcher de conclure autrement : « *Enzo, une chose me manque ici : le service des pauvres.* »

83

Le 12 mai 1995, Enzo me propose une formation de deux semaines à Venise chez un iconographe pour le mois d'août. *« Ai-je une vocation d'iconographe? Qu'est-ce que le Seigneur veut pour moi? Les pauvres? Qu'est-ce que je désire et peux faire pour Lui? C'est ma vie. Elle m'a été donnée : comment est-ce que je peux l'offrir au Seigneur? Évangélisation par la parole : prédication? Évangélisation par l'image : iconographie? Évangélisation par la diaconie : éducation? Rester ici pour fonder ailleurs? Ai-je le charisme de la paternité? Esprit Saint, éclaire-moi! »*

C'est la première fois que j'envisage de fonder une communauté. Je repense à la « banlieue » : *« Je sens bien que les réalités incarnées – c'est-à-dire la Croix – me font peur. Je voudrais fuir les duretés de ce monde. Or il ne faut pas déserter. Car le Seigneur m'attend "là où l'on meurt". Cela ne me dit rien d'aller vivre en banlieue. Pourtant, ce sont ces jeunes immigrés, les pauvres, qui m'attirent. »*

Il est 8 h 25. Je pleure, seul dans ma cellule : *« Je sens qu'il va falloir repartir en "plein monde" faire le diacre... Seigneur, éclaire-moi et fortifie-moi! »* En ce 23 mai, j'écris une lettre de trois pages à Père-Abbé :

« Côté sommeil d'abord, je constate qu'effectivement, il me faut une plage de huit heures de repos. Comme il n'y a ici ni complies ni vigiles (sauf le dimanche), je n'ai pas de problème de ce point de vue, et m'en trouve mieux. Je suis par moments assez angoissé, passant de la certitude de devoir rester à Bose au doute le plus profond, pensant encore à quelque diaconie en "plein monde". J'espère que je parviendrai à comprendre et à répondre à ce que veut le Seigneur pour moi – et qui est probablement ce que je veux pour lui, selon mes possibilités (limites et dons). »

Le 19 juin, j'apprends que le Front national a conquis les municipalités de Toulon, de Marignane et d'Orange. C'est le

84

signe d'un malaise croissant quant à l'insertion des populations immigrées venues d'Afrique, avec la question de l'islam en arrière-fond. Le lendemain, je me demande s'il n'y aurait pas « *une communauté en France vivant parmi les immigrés et engagée dans l'alphabétisation* ».

Deux jours plus tard, je note : « *J'ai vraiment le désir de vivre au sein de tout le peuple de Dieu, au cœur de l'humanité, entouré d'enfants, de familles, de la vie ordinaire. Assurer la catéchèse, visiter les malades, prier, donner des cours d'alphabétisation pour gagner ma vie. Vivre avec deux ou trois compagnons très simplement... Bose est déjà trop grand et trop beau.* »

À nouveau, dans mon journal, le 24 juin, j'envisage de « *fonder quelque chose* ».

« *Une dimension de ma "crise" est la question d'un service caritatif en "banlieue" dans les milieux immigrés et musulmans. C'est un problème épineux. Il y a une question d'identité : la vocation "religieuse" est d'abord célibat, communauté, prière. Comment vivre cela dans un appartement ? Dans un milieu musulman ? Je ne vois pas clair pour l'instant.*

« *Une fondation, à partir de Bose (une "fraternité") est toujours possible, à terme, à partir de ma culture urbaine et internationale. En fait, pour mon discernement, il me reste seulement à "vérifier" (mais comment ?) que cette histoire de "diaconie à Marseille" est du vent... Je me vois dans la vie de simple laïc, célibataire en communauté, très proche "des gens" (par le travail, l'hospitalité, la prière...). Je ne sais pas trop comment vérifier tout ça.* »

« *Seigneur, fais que j'invente la voie que tu veux créer pour moi !* » Quelle évolution dans ma prière ! Il ne s'agit plus de se « soumettre » à la « volonté de Dieu » en reniant sa « volonté propre ». Cette dernière expression ressemble plus à une marque de lessive qu'à un concept théologique opératoire dans le monde moderne. Le Dieu des chrétiens est « *créateur* [59] » et nous sommes « *à son image* [60] ».

L'Évangile exige une attitude de critique constructive, de découverte infinie, d'imagination et d'initiative [61]. Déportée à Auschwitz, Etty Hillesum percevait dans l'épreuve de la persécution nazie une invitation à la responsabilité. Le 12 juillet 1942, elle écrivait : « *Je vais t'aider, mon Dieu, à ne pas t'éteindre en moi. Ce n'est pas toi qui peux nous aider, mais nous qui pouvons t'aider.* » Quel renversement de perspective !

« *Chaque temps est appelé à une sainteté qui lui est propre*, avertissait Madeleine Delbrêl. *Ce serait abîmer le Royaume de Dieu que rêver pour le XXe siècle le type de sainteté du XIIIe siècle. Le progrès humain est dans le plan de Dieu qui n'a pas fait au hasard l'homme intelligent, ingénieux et social* [62]. »

Le « retour du religieux » ne doit pas être dicté par des « fous de Dieu » qui méprisent la raison, nous demandent de reprendre la position du fœtus et nous soumettent à de prétendus « décrets divins ». Ce serait un retour en arrière et une caricature du vrai Dieu.

L'historien grec Hérodote pensait que « *la divinité aime rabaisser tout ce qui s'élève* [63]. » Certes, « *qui s'élève sera abaissé* [64] ». Mais les disciples du Christ savent que c'est Dieu qui s'abaisse : « *Le Fils de l'homme n'est pas venu pour être servi, mais pour servir* [65]. » Le Serviteur souffrant veut libérer l'homme. La vocation de l'*homo sapiens* est la station debout : « *Lève-toi et*

---

(59) Gn 1,1.
(60) Gn 1,27.
(61) Mt 25,14-30.
(62) Lettre à l'Abbé Lorenzo, 23 novembre 1932.
(63) Hérodote, *Histoires*, VII, 10 (traduction Legrand).
(64) Mt 23,12.
(65) Mt 20,28.

marche [66] *!* » Athanase d'Alexandrie nous le rappelle : « *Le Fils de Dieu s'est fait homme pour nous faire Dieu.* »

Au terme de mon séjour à Bose, je demeure angoissé : « *Suis-je utile ici ? Ne serais-je pas mieux employé à servir les "pauvres" (enfants abandonnés...) dans une maison, avec des temps pour prier ?* » Question de maturation humaine et spirituelle : « *Vivre avec les plus petits a pour enjeu notre propre transformation* [67] », observe Chris Rice.

Thomas Merton remue le couteau dans la plaie : « *On ne devrait pas, nous moines, être simplement un symbole de la religion établie et mener une vie de dévotion financée par les riches. Il faut laisser notre prière s'approfondir au contact des pauvres. Elle en devient plus vraie* [68]. » Le défi, pour moi, n'est pas de devenir plus « contemplatif » mais d'être plus « prophétique ».

---

(66) Mt 9,6.
(67) *School(s) for Conversion : 12 Marks of a New Monasticism*, Cascade Books 2005, p. 64.
(68) Thomas MERTON, *The School of Charity*, Harvest Books 1993.

ULTIME RETRAITE

De retour à Tamié, je suis bien accueilli. Je constate que j'aime toujours « ma » communauté. Mais, le 17 juillet 1995, Père-Abbé me rappelle que si les frères ont choisi de ne pas augmenter les temps de sommeil, c'est un signe du Seigneur pour partir. Ma retraite au Châtelard devrait m'aider à choisir la nouvelle direction à prendre. Le lendemain, je m'arrête en Beaujolais, chez mes parents, pour deux semaines. Je lis le petit mot que Jean-Michel Beulin m'a transmis à mon départ :

« *Garde précieusement cette question de la place des pauvres, des exclus, des marginaux dans ta vie, garde-la! Que cette interpellation du Seigneur demeure présente en toi, car elle sera source d'une tension saine : elle exigera de toi toujours plus de vérité dans ton désir de suivre le Christ, de te remettre totalement à lui. Laisse-toi blesser!* »

Tous les jours, à l'heure du café, je parcours le journal. Le 26 juillet, j'apprends que, la veille, une bombe a explosé à Paris dans une rame du RER à la station Saint-Michel, faisant huit morts et cent cinquante blessés. Deux jours plus tard, le bulletin islamiste *El-Ansar* revendique l'attentat. Le 11 juillet, alors que j'étais encore en Italie, je n'avais pas prêté attention à l'assassinat du cheikh Abdelbaki Sahraoui, cofondateur modéré du FIS et imam de la mosquée de la rue Myrha à Paris.

La violence algérienne est en train de traverser la Méditerranée. Nos colonies, nos protectorats et nos trois départements du Maghreb sont devenus politiquement indépendants, mais nos histoires sont à jamais liées : à travers les échanges économiques et financiers, la télévision et Internet, l'immigration et le terrorisme, le Nord et le Sud s'affrontent et s'unifient. Que dois-je faire pour qu'en ces temps troublés *« amour et vérité se rencontrent, justice et paix s'embrassent* [69] *»* ?

Le 31 juillet au soir, dans la chaleur lourde d'une journée orageuse, j'arrive au Châtelard, à Lyon, pour mes trente jours de retraite ignatienne. J'ai l'impression de me retrouver dans une clinique impersonnelle. Rien à voir avec la cordialité rustique de Tamié ou de Bose. Décidément, je préfère les hôtelleries monastiques, ces lieux habités par une communauté de travail priante et fraternelle.

Néanmoins je suis très bien accueilli par le jésuite qui sera mon accompagnateur. *« Il est très expérimenté »*, m'assure le directeur de la maison. Ce dernier constate, après cinq minutes de conversation, que je ne suis pas un moine de la *« triste observance »*. Il m'annonce qu'il y aura quatre heures d'oraison par jour et une rencontre quotidienne avec mon accompagnateur. À l'annonce de ce rythme exigeant, mon sourire se fait plus crispé !

Au réfectoire, je suis interloqué : au cours de nos repas pris en silence, nous écoutons l'histoire d'Habib Wardan, *La Gloire*

---

(69) Ps 84,11.

de Peter Pan, ou le récit du moine beur [70]. Y a-t-il en France un autre livre qui narre l'histoire d'un musulman converti au christianisme dont le chemin passe par l'abbaye de Tamié? Cet ouvrage est le résumé sur mesure de ce que je porte en moi : les immigrés musulmans et la vie monastique, avec pour décor le monastère dont je suis issu!

Je pressens que je dois synthétiser dans la prochaine étape de ma vie tous ces éléments. Mais comment? *« Je pense à cette question des musulmans à Marseille. Je devrais contacter l'auteur du livre que nous lisons au réfectoire. »* Le Seigneur des chrétiens ne reste pas au bord du Ciel : il s'assoit à la table des pécheurs, il se compromet jusqu'au bout, refusant de faire ses valises quand vient l'heure de la crucifixion. *« Ce que je veux, c'est ressembler à ce Dieu-là, c'est-à-dire prendre les pauvres immigrés des banlieues "pour prochains". »*

Mais la crise d'identité des congrégations religieuses complique ma démarche :

« Les sociétés développées et sécularisées ont mis en place des systèmes de solidarité financés par l'État (éducation, santé, logement, emploi). Ceci a entraîné la disparition des missions spécifiques qui avaient suscité la création des instituts religieux (enseignants, éducateurs, infirmières, etc.). Résultat : il est très difficile de se situer dans *le monde alors que la théologie de Vatican II, à juste titre, invite à* ne pas se séparer *du monde.*

« De ce fait, les monastères à la campagne sont les moins touchés par l'évolution sociale *parce qu'ils ne se définissent pas par une mission caritative dans le monde. Mais ils sont les plus affectés par l'évolution* théologique, *qui appelle à l'ouverture au monde.*

---

(70) Habib WARDAN, *La Gloire de Peter Pan, ou le récit du moine beur*, Nouvelle Cité 1986.

Il me semble que Bose est un bon compromis entre ces deux ten-
dances : ne pas se définir comme "séparé du monde" (habits, clôture
stricte, emplois en clôture, refus des moyens de communication et
des voyages, etc.) mais ne pas s'identifier à un service spécialisé. En
fait, Bose serait l'idéal si j'avais la certitude de pouvoir y servir les
pauvres. Mais ont-ils assez d'argent pour aller faire des retraites à
la campagne et s'y sentent-ils chez eux ? »

Je lis, dans le numéro 166 de la revue *Christus*, un article de
Pierre-Marie Delfieux, fondateur des Fraternités de Jérusalem. Il
montre que les premiers moines n'habitaient pas le désert mais
les faubourgs des villes. Il souligne que ce qui les caractérise,
c'est le célibat et non la « séparation du monde ». Il considère
nécessaire d'être salarié puisque c'est le cas de l'immense majorité des habitants de la planète aujourd'hui. Enfin, il conteste
l'hégémonie de la Règle de Benoît en Occident : il propose un
retour à Basile de Césarée et à plus de souplesse dans l'organisation des monastères.

« N'y aurait-il pas là une solution à mon problème ? Par un
emploi (à mi-temps) dans l'enseignement, je pourrais rejoindre les
jeunes défavorisés. La difficulté, c'est que le centre de Paris n'est pas
la banlieue ! Dommage, car cette solution permettrait de sauver la
prière liturgique à laquelle je suis attaché. »

Pierre-Marie Delfieux annonce l'avènement de « *moines dans*
la ville ». Pourtant l'urbanisation, les congés payés et les transports rapides ne rendent-ils pas les monastères ruraux d'autant
plus attractifs ? Ils offrent des espaces de silence aux citadins
fatigués qui veulent faire retraite dans un coin reculé de la
campagne. Des monastères comme Tamié ou Bose accueillent
surtout des Parisiens, des Lyonnais, des Marseillais, des Gene-
vois, des Turinois ou des Milanais.

Plus que l'exode rural, c'est le développement des zones

périurbaines qui caractérisent aujourd'hui les flux de population. Un nouvel équilibre entre la ville et la campagne se cherche. Peut-être est-ce le salut des monastères ruraux dans le siècle qui vient?

Quant à moi, ce qui retient mon attention, c'est une autre réalité émergente : les banlieues non chrétiennes. La lecture des journaux à la fin de mon noviciat à Tamié a remis cette question au premier plan. Il y a quelque chose à inventer : des communautés monastiques en cité HLM pour l'accueil des pauvres et des étrangers.

Le 15 août, mon accompagnateur prend acte du fait qu'il m'est impossible de retourner à Tamié à cause du manque de sommeil. Pour lui, il ne reste plus que le choix entre Bose et une présence en banlieue. En attendant d'y voir plus clair, je décide de rédiger une courte lettre, que j'envoie à plusieurs communautés :

« Je suis actuellement en recherche d'une vie en communauté, de type monastique (célibat, prière en commun), en quartier populaire ou milieux défavorisés, pour être signe d'amitié et de service auprès de frères méprisés (je pense en particulier aux récentes immigrations en France). Votre communauté est-elle de cette nature? »

Le 17 août, placée dans une poubelle, une bonbonne de gaz explose avenue de Friedland, près de la place Charles-de-Gaulle, à Paris. Dix-sept personnes sont blessées. Je poursuis ma retraite : *« Être lieu de Paix. »* J'hésite toujours entre Bose, *« monachisme inculturé, flexible et ouvert »*, et les banlieues, *« monachisme diocésain, proche d'une paroisse, en ville, parmi les pauvres »*.

Le 26 août, une autre bonbonne de gaz est découverte sur la voie du TGV Lyon-Paris. Au cours d'un pique-nique à mi-retraite, une religieuse qui habite en banlieue populaire me parle de l'influence croissante des islamistes, des difficultés d'aller au-delà de l'amitié avec les musulmans et du malaise des familles françaises d'origine européenne : chômage, divorce, drogue…

Je m'interroge : « *L'Église est un corps. Où est mon talent ? Il me faut découvrir quel membre je suis.* » Je dois maintenant me décider. Le 27 août, je mets la dernière main à la lettre pour mon père-abbé :

« *Cher Père-Abbé, depuis la réunion communautaire du 9 octobre 1994, l'espoir d'un aménagement de mon temps de sommeil s'est envolé, et mes besoins en ce domaine n'ont pas changé. Par conséquent, le point de départ de mon discernement a été de faire le deuil d'un engagement définitif à Tamié.*

« *Ensuite, le constat a été celui de retrouvailles relativement claires avec le désir de la vie monastique, la question des "œuvres" (que faire pour telle ou telle catégorie de la population ?) étant finalement seconde. Cela ne veut pas dire qu'elle soit secondaire, mais que ce qui importait réellement, c'était de me prêter le plus possible à la venue du Seigneur en moi et en ma communauté. Car ce qu'attend la création tout entière, ce n'est rien moins que "la révélation des fils de Dieu* [71]*". Réponse indirecte à ma question au sujet des "pauvres" !*

« *Cependant, je persistais à tenir le monastère pour un "lieu de vie" relié à l'Église locale par une relation de dépendance explicite vis-à-vis de l'évêque, prenant sa part dans le dialogue avec incroyants et croyants d'autres cultures et le travail salarié en ville si nécessaire. Dès lors, le monastère de Bose continuait de m'attirer. Car il me paraissait précisément renouer, en quelque mesure, avec cette inspiration d'un monachisme au cœur de l'Église et de la société. La perspective de retourner en ce lieu s'est donc peu à peu imposée à moi.* »

---

(71) Rm 8,19.

Le 31 août 1995, une opération de police judiciaire est déclenchée contre les milieux islamistes en France. Soupçonnées d'être membres d'un réseau de soutien logistique au GIA algérien, une vingtaine de personnes sont écrouées pour association de malfaiteurs en liaison avec une entreprise terroriste. Pour ma part, j'essaie de rester fidèle à l'entreprise pacifique de Jésus – celui de la Bible. Vais-je finir par lui ressembler ? Le Christ s'est retiré au désert « *quarante jours* [72] » – ce qui veut dire « longtemps » en langage sémite – mais pas toute sa vie. Ma retraite s'achève. Une nouvelle métamorphose s'annonce, plus radicale que prévu.

---

(72) Mt 4,2.

2e partie

MÉTAMORPHOSES
AU DEHORS

*« La création aspire de toutes ses forces
à voir la révélation des fils de Dieu.
Elle passe par les douleurs
d'un enfantement qui dure encore. »*
(Rm 8,19.22)

Enfance dans la banlieue newyorkaise de Larchmont.
(Jean-Paul Quinson, 1966)

Étés à Groton Long Point, Connecticut.
(Jean-Paul Quinson, juillet 1968)

En photo dans la brochure pour la privatisation de Suez.
(Banque Indosuez, 1987)

En campagne pour Raymond Barre.
(François Ivernel, 1988)

28 ans...
Mais je pars déjà !

Mardi 24 octobre 1989,
lorsque l'agitation des marchés
sera un peu tombée
– espérons à partir de 17h30 –

Henry Quinson
serait heureux de vous dire:
« A Dieu ! »
autour d'une coupe de champagne.

Carton d'invitation pour un pot de départ énigmatique.
(Henry Quinson, 1989)

Au monastère de Tamié, en Savoie.
(Frère Didier, 1991)

Au réfectoire, en habit blanc de novice.
(Frère Benoît, 1991)

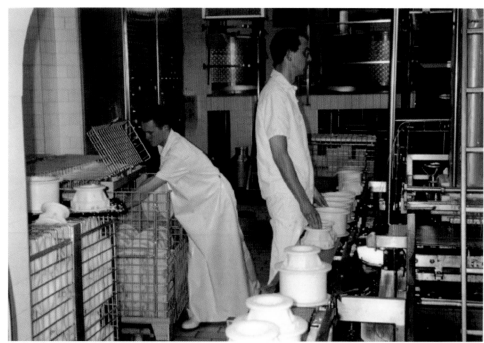

A la fromagerie du monastère.
(Frère Patrice, 1992)

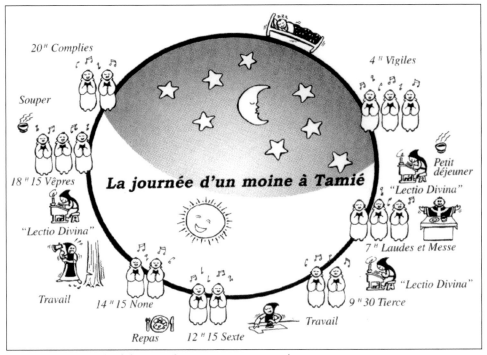

Les horaires à l'abbaye de Tamié mis en dessin par Henry Quinson.
(Frère Maurice, 1994)

La cité Saint-Paul à Marseille.
(Henry Quinson, 1998)

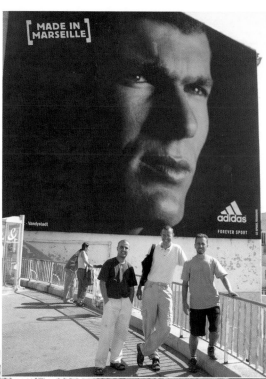

Promenade communautaire sur la Corniche à Marseille.
(Karim De Broucker, 2003)

La *lectio divina* éclaire chacun au petit jour.
(Henry Quinson, 2007)

« Dans la douceur de l'Esprit, Ton jour se lève. »
(Karim De Broucker, 2007)

La place de Saint-Paul s'anime.
(Anne Van Der Stegen, mars 2007)

La prière du milieu du jour autour de la table.
(Anne Van Der Stegen, mars 2007)

Le café chez des voisins de Saint-Paul.
(Anne Van Der Stegen, mars 2007)

Avec un jeune couple du quartier.
(Anne Van Der Stegen, mars 2007)

Cours au lycée Lacordaire.
(Anne Van Der Stegen, mars 2007)

Les lycéens sont bien accueillis à Saint-Paul.
(Karim De Broucker, 2005)

L'accompagnement scolaire.
(Anne Van Der Stegen, mars 2007)

La rencontre et l'amitié entre deux mondes.
(Karim De Broucker)

La prière des psaumes.
(Karim De Broucker, 2007)

Au mariage de voisins musulmans originaires des Comores.
(Karim De Broucker, 2006)

Moment de détente dans le Parc de Font obscure.
(Anne Van Der Stegen, mars 2007)

Une petite voisine se prépare à sa première communion à la paroisse du Merlan.
(Karim De Broucker, 2005)

Retour d'eucharistie
dominicale : prendre le
temps de la rencontre.
(Karim De Broucker, octobre
2007)

Jean-Pol Lejeune a quitté la Belgique pour la Fraternité Saint Paul à Marseille.
(Karim De Broucker, 2007)

Jean-Bernard Beghetti : lien entre Tibhirine, Tamié et la Fraternité Saint Paul.
(Karim De Broucker, 2005)

Jean-Michel et des voisins à Tibhirine, dix ans après l'assassinat des moines.
(Henry Quinson, juillet 2006)

La Fraternité fête ses dix ans de présence à Marseille avec son archevêque Georges Pontier.
(Karim De Broucker, 13 octobre 2007)

SDF

Le 4 septembre 1995, je suis de retour à Paris après ma retraite au Châtelard. À la gare, il y a des militaires partout et les poubelles sont scellées. Un certain Khaled Kelkal est devenu l'ennemi public numéro un : plus de cent cinquante mille affiches signalétiques ont été diffusées pour retrouver sa trace. Malgré ce déploiement de moyens, le terroriste du GIA a encore frappé hier : une bombe défectueuse a explosé dans un square et fait quatre blessés. En Algérie, la situation est de plus en plus sombre : je découvre dans le journal que deux religieuses, sœurs Bibianne et Angela, ont été assassinées hier à Alger. À nouveau, je crains pour la vie de nos frères à Tibhirine.

Un choc d'une autre nature m'attend chez mes parents à Meudon : une lettre de Père-Abbé, envoyée depuis Tamié, remet en question mon projet de retourner à Bose :

« Si tes retrouvailles relativement claires avec le désir de la vie monastique ne m'étonnent guère, par contre, je demeure quelque peu perplexe par rapport à ton projet de retour à Bose. Tu es parfaitement libre de t'orienter où bon te semble, mais à lire ta description

97

du type de vie monastique "basilien" qui t'attire, j'y perçois beau-
coup plus d'éléments correspondants au charisme de communautés
comme Saint-Gervais à Paris, Saint-Jean de Malte à Aix-en-Pro-
vence ou Saint-Nizier à Lyon qu'aux options de Bose. »

Je lui téléphone aussitôt pour en savoir plus. Il me conseille
de prendre un an pour visiter les différentes communautés vivant
dans les banlieues difficiles. « *Me voilà forcé à choisir l'issue pres-*
sentie et, au fond, désirée. »

Sans domicile fixe et sans idée sur mon avenir immédiat, je
prie : « *Je me sens serein et proche de toi, Seigneur, dans la Vérité*
profondément. Me voilà libéré d'une tentation : celle de l'ascen-
sion vers les "hauts lieux spirituels"… Descendons au contraire plus
bas ensemble vers les hommes! Ne restons pas au bord du Ciel!
Mouillons-nous, commettons-nous, souillons-nous : faisons-nous
péché pour le salut du monde [73]*!* »

Il est maintenant inévitable d'explorer cette piste d'une présence en cité HLM. Je réalise que j'ai traversé une nuit obscure
où la volonté de Dieu n'a pas été facile à identifier. Je suis comme
cet ermite égyptien du IVe siècle qui décida d'aller toujours plus
loin dans le désert pour chercher Dieu. Mais de solitude en
solitude, il finit un jour par sortir du désert… pour retrouver la
ville! Dieu l'avait conduit à nouveau, transformé, dans le monde
où l'attendaient les hommes.

Une religieuse des Quartiers-Nord de Marseille m'envoie un
courrier daté du 26 août : « *En recevant votre lettre, j'ai pensé*
spontanément aux "Petits frères de Jésus" qui vivent en cité. » Dès
le 6 septembre, je vois l'un d'entre eux en banlieue parisienne :

« *Nous avons constaté des convergences : gratuité monastique,*
prière, vie en milieu "défavorisé", Eucharistie et lien avec la paroisse.

---

(73) Cf. 2 Co 5,21.

L'idée de base, c'est d'être parmi les "non chrétiens". La catéchèse et la prédication sont donc rares. Il manque la liturgie et je me vois mal faire un travail peu qualifié toute ma vie. J'ai repensé à ma vocation d'instituteur en voyant tous les enfants de ces "barres" de l'Île Saint-Denis. »

Le lendemain, j'apprends qu'une bombe placée dans une voiture garée en face d'une école juive de la région lyonnaise vient de faire quatorze blessés. Quatre jours plus tard, je rends visite à Yannick Clabaut à Clamart. « *Tout ce qu'il m'a dit des focolari rejoint ma recherche. C'est un retour à la simplicité de l'Évangile vécu en communauté et parmi les hommes. À l'intérieur du mouvement, il y a des communautés de célibataires qui ont une vraie vie professionnelle. Important : il y a des professeurs. Je pourrais donc enseigner. Quels sont les points faibles ? L'absence de prière liturgique peut-être.* »

Même absence de liturgie chez les compagnes de Madeleine Delbrêl. Mais mon dîner chez elles me confirme une affinité. Ces femmes qui habitent une cité HLM dans le *Chinatown* parisien sont en plein Évangile et en plein XXᵉ siècle : un amour concret, délicat, intelligent et intelligible. J'aime leur style réaliste, franc et direct. Je repars avec l'adresse de la Mission Ouvrière Saints-Pierre-et-Paul (MOPP), fondée par Jacques Loew.

Ces hommes vivent un peu comme les équipes Madeleine Delbrêl, qui sont exclusivement féminines. Ce qui me gêne, c'est le mot « ouvrier », car les cités HLM d'aujourd'hui sont caractérisées par un chômage endémique, des emplois précaires et la présence massive de populations étrangères ou d'immigration récente. Le parti communiste est à l'agonie, remplacé par l'islam, sous différentes formes, ou par le nihilisme des gangs et des narcotrafiquants. La « classe ouvrière » a pratiquement disparu.

Le petit peuple a changé de couleur, de condition sociale, de religion et de convictions politiques : l'Église s'en est-elle aperçue et a-t-elle réagi? Je dois poursuivre mon enquête. « *L'aspiration à une vie très simple, sans habit ni clôture, en amitié avec les pauvres, continue de me hanter.* »

Le 19 septembre, je m'entretiens avec le frère dominicain chargé des vocations rue du Faubourg-Saint-Honoré. Il pense que mon appel est monastique. Or l'Ordre des prêcheurs a pour charisme la prédication : je ne suis pas un « dominicain raté » mais plutôt un moine sans port d'attache.

Les Fils de la Charité me font la même remarque dans un courrier reçu ce matin. L'après-midi, je me rends donc chez les bénédictins de La Haÿ-les-Roses. Pour eux, ce qui est central en banlieue, c'est « *la mission* ». Il ne s'agit pas seulement d'accueillir mais « *d'aller vers* » ceux qui les entourent. Je m'interroge : ne vaut-il pas mieux habiter un appartement en cité HLM si tel est l'objectif? La maison des frères les place à l'écart : « *Je cherche quelque chose de plus simple, avec une note éducative dans les banlieues.* »

Du 22 au 26 septembre, je suis à Rome avec les focolari. Je mesure le caractère international de ce grand mouvement laïc. « *Je me demande si je ne devrais pas les rejoindre avec mes accents particuliers : éducation auprès des plus pauvres, prière des offices monastiques matin et soir, retraite annuelle en solitude.* »

Mais dès mon retour à Paris, je rencontre les Frères des écoles chrétiennes à Garges-lès-Gonesse. Je découvre l'école Oscar Romero, petit établissement qui accueille des enfants en grande difficulté scolaire et comportementale. Je suis admiratif devant un travail éducatif si difficile. Toutefois, entrer chez les Frères des écoles chrétiennes ne garantit rien : « *Je risque de me retrouver dans une école "bourgeoise" à plein-temps, or ce n'est pas ce que je veux faire.* » En tout cas, le 1ᵉʳ octobre 1995, je constate que

« *mon attirance pour l'enseignement et la vie laïque est sortie renforcée de ce mois romain et parisien* ».

Début octobre, Khaled Kelkal fait une dernière fois la une des journaux : « *Il a été abattu il y a quelques jours près de Lyon par les gendarmes. Tout le monde a vu les images à la télévision. L'ambiance est tendue.* » C'est dans ce contexte que je me rends à Noisy-le-Sec pour un premier contact avec la MOPP.

« *Un métier d'instituteur est compatible avec la vie missionnaire en banlieue* », m'explique-t-on. Pour la première fois, j'évoque la possibilité de « *faire du soutien scolaire (gratuit) à côté d'un mi-temps dans une école et d'une vie communautaire* ». Peut-être devrais-je réaliser ce triptyque avec les moines apostoliques de Saint-Jean de Malte à Aix-en-Provence ou à Lyon, comme le suggérait mon ancien père-abbé ?

Mes aspirations se précisent, mais elles doivent s'appuyer sur mon expérience, s'enrichir d'une formation, s'allier à des partenaires et répondre à un besoin social dans le cadre de l'Église. Je commence à me sentir pousser des ailes de papillon, mais je suis encore à l'étroit dans ma chrysalide, faute de communauté adéquate.

Devant l'incertitude persistante quant à mon avenir, je continue de prier les Écritures, fidèle à la tradition monastique de la *lectio divina*. Il m'apparaît de plus en plus que Jésus vivait avec tous les hommes et les femmes de son temps, dans les villes et les villages. Ses disciples étaient mal vus des « bien-pensants » parce qu'ils ne « *suivaient pas la tradition des anciens* [74] ».

On ne lui a jamais reproché de prêcher une morale trop rigide, une spiritualité de la stricte observance de la Loi : au

---

(74) Mc 7,5.

contraire, sa famille l'a considéré comme un « *fou* [75] ». Quand on devient dérangeant, on est vite traité de « dérangé » ! Les autorités religieuses de l'époque ont rendu leur verdict : condamnation à mort pour « *blasphème* [76] ». La libre itinérance de l'insaisissable Nazaréen durant ses dernières années sur terre m'invite à mieux vivre ma situation inconfortable de SDF : seul Dieu est ma Force.

---

(75) Mc 3,21.
(76) Mt 26,65.

Y A-T-IL UNE VIE AVANT LA MORT?

À Aix-en-Provence, je savoure pendant trois jours la belle liturgie des moines apostoliques de Saint-Jean de Malte. Mais je repense aux banlieues : « *Les jeunes ont un vrai besoin d'aide. Ce qui est en jeu en ce moment, c'est d'abord ma vie professionnelle : c'est clair, il faut aller vers l'enseignement. Ensuite, c'est ma vocation qui est mise en cause : là, c'est plus flou. Je ne perçois en effet aucun désir de retourner dans un monastère fermé.* »

Après plusieurs conversations avec le prieur de la Fraternité, j'arrive à la conclusion que les moines apostoliques sont tous ordonnés prêtres et, de ce fait, sont plongés jusqu'au cou dans « la religion » du matin au soir : paroisse (baptêmes, mariages, caté-chèse et funérailles), cours au séminaire, aumônerie et liturgie. Aucun contact avec le monde non chrétien, aucune insertion dans le monde du travail et aucune présence en quartier popu-laire : « *L'absence d'une dimension diaconale affirmée (service des pauvres) me laisse sur ma faim.* »

À mon retour à Paris, je trouve une lettre d'Enzo Bianchi dans laquelle il répète que j'ai une vocation monastique. Mais je suis désormais convaincu qu'il me faut explorer une formule comportant une dimension éducative et une présence en cité HLM. Le 21 octobre 1995, je vois les Petits frères de l'Évangile : je ne pourrai pas être enseignant tout de suite, m'explique-t-on.

Le lendemain, je déjeune avec Jean-Marie Petitclerc, polytechnicien devenu Salésien et auteur prolixe. Bien dans sa peau et enthousiaste, il me donne envie d'en savoir plus sur sa famille religieuse, qui est la deuxième congrégation au monde en nombre de frères, même si sa présence en France est faible. Jean-Marie me précise qu'à la différence des Frères des écoles chrétiennes, les Salésiens ne s'occupent pas seulement d'écoles mais aussi de loisirs, d'hébergement et d'évangélisation de la jeunesse. Il m'explique que les priorités en France sont les banlieues : paroisses et jeunes en difficultés. Son projet Valdocco pour Argenteuil s'articule autour de trois pôles : l'église, l'école et le quartier.

Je repars chargé de livres à lire et prends rendez-vous avec le provincial des Salésiens. Malheureusement, ce dernier m'explique quelques jours plus tard que la congrégation est vieillissante, me fait comprendre que la vie communautaire est assez secondaire et qu'il n'est pas dit que je me retrouve en banlieue au terme de mon noviciat.

Le 24 octobre, je reviens à mes aspirations essentielles : « *Travail à mi-temps, soutien scolaire, catéchèse et prière* ». Désormais, je veux cheminer avec un accompagnateur : je choisis, sur les conseils de mon frère Paul, Hervé Renaudin, directeur du second cycle au séminaire Saint-Sulpice et professeur d'anthropologie théologique depuis 1988. Ce poète attentif aux dimensions sociales et incarnées de l'Évangile devrait pouvoir m'aider à avancer. Je note un commentaire de Madeleine Delbrêl : « *Si la vie religieuse adaptait ses modalités aux tempéraments physiques et psychologiques, elle resterait, pensons-nous, la voie normale pour les plus nombreux (ses) de ceux (celles) qui veulent se donner au Christ.* »

Je commence à lire de plus près cette grande mystique moderne (1904-1964), assistante sociale et poète, qui vécut en milieu ouvrier communiste à Ivry-sur-Seine. À l'Institut catholique, j'étudie la thèse inédite que lui a consacrée Charles Mann. J'achète à La Procure *Nous autres gens des rues, La Joie de croire* et *Ville marxiste, terre de mission*.

L'analyse minutieuse, profonde et synthétique de Charles Mann est pour moi un tournant. Il résume de manière très fine la conception que je me fais aujourd'hui de la vie dite « religieuse » (expression impropre : tout baptisé mène une vie religieuse !). Écrite en américain, cette thèse contient trois chapitres essentiels, dont les titres sont particulièrement bien choisis.

Ainsi, le chapitre cinquième s'intitule « *D'une spiritualité a priori et illusoire à une spiritualité contextuelle et réaliste* ». Le chapitre suivant décrit, quant à lui, le passage « *d'une spiritualité dualiste à une spiritualité intégrative* ». Enfin, le chapitre septième souligne l'avancée « *d'une spiritualité de la mortification et de l'observance à une spiritualité vivifiante et essentielle* ». Je prends pour moi ces deux questions de Madeleine : « *La foi est l'engagement temporel de la vie éternelle : sommes-nous assez temporels ? La foi se demande, se reçoit, se vit par des actes libres : sommes-nous assez libres ?* »

Grâce à mes rencontres et aux réflexions de Charles Mann sur Madeleine Delbrêl, mon projet s'affine. Je dessine un cercle où j'écris le mot « *communauté* », en dessous duquel je précise : « *= prière + repas + logement dans le quartier* ». Autour de ce cercle, des flèches entrent et sortent : « *hospitalité* », « *paroisse (Eucharistie, catéchèse…)* », « *soutien scolaire* », « *école* », « *assistance sociale* », « *courses* » et « *loisirs* ».

L'esquisse devient dessein, libéré des « *superstructures d'idées pieuses préfabriquées qui ligotent les initiatives souverainement libres et rénovatrices de l'Esprit ».* Madeleine Delbrêl m'encourage à m'affranchir d'une *« foi anachronique »* : *« S'il faut l'éliminer, c'est à cause des hommes qu'elle attarde et mutile de leur efficacité contemporaine. »* Je suis désormais plongé dans *« un travail pour lequel il n'existe pas de maquette ».* Mes aspirations sont simples : *« Vivre avec les gens. Éduquer à la "charité". Repas en commun, entraide, catéchèse, jeunes. N'ai-je pas les qualités requises? Le désir? Mais où? Quel diocèse? En ville, en tout cas, car je connais cette culture urbaine et ses défis. Prendre un travail de professeur. Chrétien dans le monde. Rien d'extraordinaire. Porte d'entrée vers les jeunes. N'est-ce pas ma voie, toute simple et belle? »*

Je décide de me renseigner sur le concours des professeurs certifiés d'anglais (CAPES) et envisage un voyage aux États-Unis pour m'y préparer en candidat libre.

Un déjeuner très stimulant avec un Frère des écoles chrétiennes, rue de Sèvres, confirme mes intuitions. Il reconnaît l'insuffisance de la liturgie dans sa congrégation mais me conseille d'aller voir une communauté où l'insertion en cité HLM est réelle sans que la prière soit négligée.

Le 8 novembre, je me rends donc à Beauvais où je fais la connaissance de trois frères dont la vie et le projet communautaire me font excellente impression. Ils ont cinq temps de prière par jour; ils ouvrent leur porte, spécialement pour un accueil éducatif; ils cherchent à simplifier leur mode de vie par solidarité avec leurs voisins; enfin, ils essaient de partager leur savoir par l'accompagnement scolaire, et leur foi par la catéchèse. À la frontière de l'Église, ils sont justement signe d'Église.

Me voilà conforté dans mes aspirations. Mon accompagnateur, Hervé Renaudin, m'encourage à son tour : mon départ de Tamié n'est pas une fuite et mon projet de communauté monastique en quartier pauvre, en lien avec une paroisse et dans une optique éducative, est, selon lui, très nécessaire.

Le lendemain, je me trouve au Carmel d'Avon : « *Je regrette mon logement HLM rempli d'enfants, de gens pauvres qui entrent et qui sortent. Beauvais est décidément très intéressant.* » Le prieur du Carmel se montre extrêmement cordial mais je décide de repartir plus tôt que prévu. Clairement, ce contraste entre un couvent où je ne me sens pas à ma place et la cité HLM de Beauvais où j'aurais voulu rester plus longtemps me confirme dans la nécessité de faire une expérience en quartier populaire.

Le 10 novembre 1995, une autre religieuse, sœur Odette Prévost, est assassinée à Alger. C'était une habituée du monastère de Tibhirine. « *Y a-t-il une vie* avant *la mort?* » se demandait la poétesse américaine Emily Dickinson [77]. « *Ce n'est qu'en aimant la vie et la terre assez pour que tout semble fini lorsqu'elles sont perdues qu'on a le droit de croire à la résurrection des morts* », répond en écho Dietrich Bonhoeffer [78].

Mourir est une épreuve, mais refuser de vivre par peur d'un Dieu gendarme est un suicide spirituel que le Christ condamne dans la parabole des talents [79]. Jésus est le ressuscitant de Pâques. L'apôtre Paul explique cette métamorphose qui a lieu dès ici bas : « *Nous sommes continuellement livrés à la mort à cause de Jésus pour que la vie de Jésus soit, elle aussi, manifestée dans notre chair mortelle. Ainsi donc, la mort fait son œuvre en nous, et la vie en vous* [80]. »

Robert Scholtus en tire cette conclusion essentielle : « *Croire*

(77) Emily DICKINSON (1830-1886), *Complete Poems,* Part Five, LXXII, 1924.
(78) *Résistance et soumission,* Labor & Fides, Genève 1967, p. 76.
(79) Mt 25,14-30.
(80) 2 Co 4,11-12.

en la résurrection, ce n'est pas m'enfermer dans la certitude illusoire que je serai plus fort que la mort, c'est au contraire apprendre à mourir et à faire mourir en moi le vieil homme pour qu'advienne l'homme nouveau [81]. »

Le 17 novembre 1995, je prends le métro en traînant les pieds. Je suis découragé. Aucune communauté ne me convient vraiment. À la réflexion, il manque à Beauvais la belle psalmodie de Tamié. Pourrais-je m'en passer ? Plusieurs personnes m'ont dit que je devrais sans doute *« fonder quelque chose »*. Mais je suis seul ! *« Il faut que toutes les cordes de ta guitare soient accordées : pas une ne doit sonner faux »*, m'a conseillé un vieux moine. Voilà la barre placée bien haut ! Ce matin, j'ai l'impression d'avoir mené à son terme l'exploration d'une voie sans issue.

C'est donc sans conviction que je frappe à la porte du pavillon de banlieue de la Mission Ouvrière Saints-Pierre-et-Paul. Un petit Italien m'ouvre, la cigarette aux lèvres. Nous nous mettons rapidement à table dans la cuisine. Nico Marchelli me sert des pommes de terre sautées presque carbonisées mais ses propos sont plus alléchants :

« L'Église est très peu présente aux "nouveaux ouvriers", qui ne sont pas un groupe homogène (la "classe ouvrière" décrite par Marx et ses épigones), mais un ensemble conflictuel de populations étrangères, souvent non chrétiennes, où l'islam domine. La nouvelle problématique est la suivante : comment annoncer l'Évangile en France à des non chrétiens ? Dans ces quartiers, ce n'est plus le Parti communiste qui fait des gros scores mais le Front national. »

Au cours du déjeuner, je décris très exactement la communauté que je cherche. Nico m'entraîne au premier étage. Il fait

---

(81) Robert SCHOLTUS, *Petit christianisme d'insolence*, Bayard 2004, p. 107.

démarrer son ordinateur, dont il extrait les coordonnées d'un certain Karim De Broucker. Ce Marseillais d'ascendance algérienne collabore avec deux religieuses dans sa ville natale au sein d'une association privée de fidèles appelée « Fraternité missionnaire de La Renaude ». Cette fraternité assure un accompagnement scolaire et la catéchèse auprès d'enfants d'origines maghrébine et gitane. Karim se pose, paraît-il, la question d'une vocation religieuse en cité. Il a été adopté tout petit par une famille chrétienne et a grandi dans la foi catholique.

Je suis intrigué car j'ai toujours prié pour que Dieu m'envoie un frère issu du Maghreb. Je note les coordonnées de ce jeune professeur stagiaire de lettres classiques provisoirement exilé en Avignon. Il n'y a pas de communauté masculine établie, mais la ville de Marseille évoque ma « vision » du 24 octobre 1989 : *« Dans ma prière, j'ai vu que je faisais l'école aux petits enfants maghrébins de Marseille. »* J'écris donc à Karim et téléphone aux deux religieuses, anciennes Filles de la Charité. Je suis attendu dans la cité phocéenne dès la semaine suivante.

MARSEILLE

Le 19 novembre 1995, je fais le point : « *Beauvais correspond le mieux à ce que je cherche : un vrai petit monastère au cœur des exclus, pratiquant l'hospitalité, tout spécialement auprès des enfants. Prière, ascèse (pas de télévision, pas de tabac, pas d'alcool). Je me sens bien là-bas. Éventuellement, je pourrais rester à Beauvais, mais en me rattachant aux focolari. Marseille? Pas de communauté... En ce moment, l'avenir m'angoisse parce que je n'arrive pas à voir où je dois demeurer, même si Beauvais m'attire. Quel travail? Comment? Quelle formation et quel diplôme? »*

Dans ma nuit, je reçois une lettre de mon ancien père-abbé de Tamié, datée du 17 novembre : « *À te lire je relève deux choses : 1°) Le sérieux de tes démarches qui ne peut que rassurer : au moins tu ne fais pas les choses à la légère! 2°) Ta préférence pour un engagement religieux en milieu défavorisé (cette intuition est en toi depuis si longtemps!). Comme tu le dis, cela ne va pas dans le sens de la facilité et de ta sensibilité. Dans la mesure où ce choix n'est pas seulement le fruit d'une générosité mal éclairée, ce peut être un signe particulièrement fort de l'authenticité de l'Appel. Si tu choisis l'option des exclus, j'en serai très heureux et fier. Ton chemin ne sera pas facile mais il sera très authentiquement évangélique. »*

Il me faut donc vérifier si cette attirance pour les « *exclus* » n'est pas une « *générosité mal éclairée* ». Il me semble que les entretiens avec Hervé Renaudin et une ou deux expériences « sur le terrain » permettront de trancher.

Parallèlement, je poursuis mes recherches concernant un CAPES d'anglais : les inscriptions sont déjà closes. Il est trop tard pour devenir professeur certifié dès ce printemps. Le concours du « privé » est le même mais s'appelle « CAFEP ». Je dois choisir mon diocèse, car chaque académie a son propre système de formation et d'affectation dans l'enseignement catholique sous contrat. Je voudrais trouver un équilibre entre « exclus » (mes temps libres) et « inclus » (mon travail de professeur, pas plus de vingt heures par semaine).

Le 21 novembre, j'arrive à Marseille pour la première fois de ma vie. Je parviens par le métro puis le bus jusqu'à la cité de La Renaude, dans le 13e arrondissement. Sont présents dans cette micro-communauté tous les éléments qui me tiennent à cœur : éducation, prière, catéchèse, familles, Eucharistie à la paroisse, bénévolat distinct du centre social.

Je fais la rencontre de Karim, qui s'est déplacé spécialement pour me voir. Il est avec une amie : apparemment, sa vocation au célibat n'est plus d'actualité. Je songe de nouveau à Beauvais. Néanmoins, la participation au soutien scolaire me pousse à rester plus longtemps que prévu. Je peux ainsi participer à une séance de catéchèse auprès des enfants gitans, très turbulents mais attachants. La cité est bruyante : « *Ici, on fait la fête sans prévenir* », m'explique-t-on. « *Mais on échange aussi très volontiers des gâteaux.* »

De fait, le quartier semble à la fois rude et convivial. Dans ce contexte, les sœurs m'assurent qu'une vie monastique est malgré tout possible : célibat, prière trois fois par jour, une journée de solitude par semaine, une retraite par an, travail à mi-temps, hospitalité, une forme de clôture qui consiste à ne pas sortir pour les repas du soir et à concentrer ses activités sur la cité.

Une des idées centrales de la Fraternité est de permettre la rencontre de deux mondes : celui des étudiants plutôt aisés qui viennent aider les enfants pour l'accompagnement scolaire et la catéchèse, et celui de la cité, trop repliée sur elle-même. La promotion humaine se marie avec l'annonce de l'Évangile. En cela, création et salut ne s'opposent pas : Dieu n'est pas en concurrence avec l'homme puisque Jésus est précisément « *l'Homme nouveau* [82] ». L'Évangile est la source et le sommet de la promotion humaine.

Cette démarche est fondée théologiquement sur le mystère de l'Incarnation : « *Le Verbe s'est fait chair et il a habité parmi nous* [83]. » Ce « *déménagement* » de Dieu qui vient « *habiter notre quartier* [84] » n'est pas sans conséquence pour les disciples du Christ! La Bonne Nouvelle est annoncée aux pauvres : « *Dieu ne vous méprise pas : son Église vient habiter parmi vous pour vous dire qu'Il vous aime.* »

Sur le plan ecclésiologique, l'accent est mis sur la conception paulinienne de l'Église corps du Christ, aux multiples connexions : les sœurs vivent sur place avec des « pauvres » mais cette rencontre ne reste pas fermée sur elle-même car les étudiants viennent de l'extérieur pour manifester l'Alliance des « inclus » avec les « exclus », brisant ainsi les barrières de la

---

(82) Ep 2,15.
(83) Jn 1,14.
(84) Maria RUSSELL KENNEY, *School(s) for Conversion : 12 Marks of a New Monasticism,* Cascade Books 2005, p. 45.

ségrégation, de la peur et de la honte. Enfin, l'Eucharistie célébrée à la paroisse toute proche manifeste que c'est bien toute l'Église qui participe, à travers ses missionnaires, à l'œuvre de réconciliation dans le Christ total.

De retour à Paris, j'observe que « *le projet de La Renaude est remarquablement articulé sur le papier autant qu'il est vécu sur le terrain. Ce qui me retient, c'est d'être le seul frère célibataire dans cette aventure. Il faudrait être au moins deux. L'inconvénient de Beauvais, c'est le côté institutionnel : dépendre de la congrégation des Frères des écoles chrétiennes (organisme lourd et vieillissant) et des associations (subventionnées par la municipalité et d'autres collectivités locales). Je souhaiterais ne dépendre que de l'évêque*, via *un prêtre du diocèse, et faire du soutien scolaire gratuitement au nom de l'Évangile.*

« *Conclusion : dans l'immédiat, passer une semaine à Beauvais pour y apprendre l'expérience des frères et me faire une opinion plus exacte sur ce qu'ils vivent; ensuite, essayer de trouver un compagnon de ma génération (Jean-Michel?) et partir à Marseille si le Seigneur m'envoie quelqu'un. Constat global : c'est bien vers une insertion parmi les pauvres que va le désir de mon cœur.* »

Le 1er décembre, je vais voir mon accompagnateur, Hervé Renaudin, à Issy-les-Moulineaux pour lui parler de La Renaude. Après m'avoir écouté, il me fait remarquer que cette Fraternité est l'incarnation des désirs exposés la dernière fois. Par ailleurs, il faut juger l'arbre à ses fruits : « *Cette communauté est là-bas depuis dix ans, est appréciée dans le quartier et de jeunes étudiants gravitent autour; il est donc légitime de se greffer sur un tel arbre.* » Enfin, le monde d'aujourd'hui a besoin de ces lieux de vie et espaces de rencontre enracinés dans la prière et l'Église.

J'objecte qu'il n'y a pas de communauté d'hommes. Mais Hervé me répond : « *Commencer seul est une épreuve, mais il*

113

est réaliste de penser que d'autres vont te rejoindre. En fait, il est bon de commencer ainsi, sans "moule", laissant l'autre apporter ses richesses. » Il me conseille de lui écrire après un ou deux mois, en relisant mes notes quotidiennes. Ce qui l'intéresse, ce sont les faits plus que les idées ou les sentiments. Il suggère de commencer mon expérience marseillaise à Noël pour vivre ainsi le temps liturgique.

Je suis très étonné par sa tranquille assurance. Je téléphone aussitôt à La Renaude. Les sœurs sont ravies d'apprendre la nouvelle de mon retour. Je tiens également Jean-Michel au courant. Il est toujours moine à Tamié, mais je pressens qu'il pourrait être intéressé par cette aventure. Je lui envoie photocopie des documents qui décrivent le fonctionnement de la Fraternité.

Le 2 décembre, j'arrive à Beauvais pour huit jours. Je suis très édifié par la vie communautaire, l'hospitalité concrète à l'égard des voisins et le rythme de prière : une heure d'oraison ensemble à 7 heures, suivie des laudes, prière du milieu du jour après le repas de midi et vêpres le soir. Je crains cependant une confusion entre l'association autonome et non confessionnelle que préside l'un des frères et la communauté. Actuellement, il y a une crise entre la directrice et un animateur salarié.

Je préfère la ligne des sœurs de La Renaude, qui évitent d'être impliquées dans des questions d'argent (subventions, embauches, licenciements, etc.). Ceci n'empêche pas des collaborations ponctuelles ou un rôle de relais, mais au moins l'identité de la communauté est préservée.

Alors que je suis en pleine partie de scrabble avec un jeune voisin, on me demande au téléphone. Surprise : c'est Karim qui m'appelle d'Avignon ! Il se réjouit de ma décision de venir à La Renaude, mais n'envisage pas de me rejoindre. Je me demande qui serait assez fou pour le faire : la Fraternité n'est qu'une simple association de fidèles, où l'insécurité pour l'avenir est grande et la formation religieuse mal balisée. Je m'étonne qu'Hervé Renaudin tienne ces obstacles pour secondaires.

Quoi qu'il en soit, ma semaine à Beauvais se termine par un échange fraternel où je fais part de mon émerveillement pour cette réalité d'Église. Mais je déplore que la congrégation des frères ne soit pas plus clairement engagée : « *Cette "vie insérée" reste mal comprise et l'éducation "hors école" mal acceptée, ce qui explique l'absence de volontaires pour rejoindre la communauté et le divorce avec le noviciat et la direction de la province.* » De leur côté, les frères sont « *sûrs de ma vocation "insérée"* ».

Rentré à Paris, j'appelle Philippe, qui a quitté les Frères des écoles chrétiennes mais connaît bien Beauvais. Il me confirme que la communauté est malheureusement marginale au sein de sa congrégation, ce qui est un obstacle pour l'avenir.

Le même jour, je déjeune avec le père Giros, engagé auprès des gens de la rue depuis plus de trente ans. Il souhaite vivement que je fasse un essai de trois mois au sein de son association *Aux captifs la libération*. Son désir est de créer une vraie communauté religieuse tournée vers les « gens de la rue ». Il trouve extraordinaire que quelqu'un passe plus de cinq ans dans un monastère et ait envie de rejoindre les plus pauvres. Je lui explique que c'est une conséquence logique de la lecture quotidienne des évangiles. Mais je cherche une présence en cité HLM au milieu de familles issues de l'immigration.

Mystère de la vocation de chacun : pourquoi l'étranger plutôt que le clochard, le malade ou la personne âgée ? D'ailleurs, il faut se méfier de ces spécialisations : tout être humain est à accueillir. Il reste que je me sens attiré par les jeunes, les pauvres et les immigrés de nos zones urbaines dites sensibles. La suggestion de Pierre-Marie Delfieux de fonder une Fraternité monastique à New York ne retient pas plus mon attention : elle ne serait pas située dans un quartier populaire. Or je veux être plus qu'un « moine dans la ville » : je souhaite devenir « un moine des cités HLM ».

Tandis que je prépare mes valises pour Marseille, les grèves des services publics et des transports font rage contre le gouvernement d'Alain Juppé. Bloqué à Paris, je travaille à une liturgie sur quatre semaines qui reprend une grande partie du répertoire de l'abbaye de Tamié. La psalmodie monastique rend présent l'Esprit créateur du Maître de l'Histoire. C'est lui qui m'entraîne désormais vers les Quartiers-Nord de la cité phocéenne.

KARIM

Vendredi 15 décembre 1995 à onze heures, je prends un autocar pour rejoindre Marseille, car la grève de la SNCF s'éternise. Douze heures après, j'arrive à destination. Après une nuit réparatrice, je constate que l'appartement où je suis installé à La Renaude est dans un état déplorable. C'était le logement des étudiants qui, ces dernières années, ont aidé les sœurs en habitant sur place. La baignoire, les vitres et le four n'ont apparemment jamais été récurés. Des kilos d'affaires se sont accumulés dans le sillage des occupants successifs : classeurs, roues de vélo, chiffons, meubles cassés sont entassés dans la petite loggia typique des HLM marseillais. La cuisine est à repeindre. Il faudrait aussi trouver quelques meubles et une lampe de chevet. Ma première journée est ponctuée de rencontres avec mes voisins immédiats, qui m'accueillent les bras ouverts.

Ce matin, il pleut. Je suis en train de rincer à grandes eaux la salle de bain quand je sens une forte odeur de brûlé. Je vérifie la situation dans la cuisine : rien. J'ouvre la porte de l'appartement : la cage d'escalier est enfumée. Je descends quatre à quatre les marches et parviens dans le hall d'entrée. Stupeur : trois femmes d'origine algérienne font cuire leurs poivrons dans la braise à même le sol. Je réfléchis deux minutes, les salue puis remonte rassuré : le carrelage ne peut pas prendre feu et l'odeur est somme toute agréable.

La cité de La Renaude est décidément un monde à part, en tout cas différent de ceux que j'ai connus jusqu'ici. Constituée de cent logements, soit cent quatre-vingts familles, elle évolue petit à petit grâce à l'accompagnement scolaire, qui accueille deux cents élèves par semaine, et à la catéchèse du mercredi. Avec joie, je m'intègre dans ces divers services. La présence des enfants ressuscite une partie de moi-même qui était comme engourdie, en sommeil.

Au détour d'une conversation, on m'explique que les familles d'origine européenne quittent Marseille parce que « les musulmans » s'y installent. La cité phocéenne ne serait plus ni grecque ni française : « *C'est la première ville musulmane de France.* » À La Renaude toutefois, ce sont les familles gitanes qui dominent : elles constituent les deux tiers des habitants.

Faute de pouvoir passer cette année les concours des enseignants, je me lance dans des recherches d'emploi. Par ce biais, je retrouve Jean-Bernard Beghetti au Centre Bellevue. Voilà le meilleur lien possible avec l'abbaye de Tamié puisque « Jean-Ber » y va tous les étés. C'est là-bas que nous nous sommes connus, lui handicapé moteur et moi handicapé spirituel. Il est aussi un vieil et grand ami de frère Christophe, de Tibhirine, où il s'est rendu à plusieurs reprises.

Le 23 décembre, je rencontre sœur Nadia, la directrice de l'école Sévigné. Cette salésienne souriante trouve mon CV très riche et me conseille de ne pas gâcher mes dons. Elle me propose tout de suite un poste d'animateur pastoral. Mais les sœurs de La Renaude trouvent ce travail trop prenant. Je dois donc décliner l'offre.

Le 3 janvier 1996, le théologien Maurice Pivot me rend visite. Professeur au séminaire d'Issy-les-Moulineaux, il a longtemps enseigné à Marseille : il connaît bien la ville et son Église. Intéressé par toutes les nouvelles formes de vie ecclésiale, il s'informe et m'encourage à poursuivre.

Dans le quartier, je suis très vite adopté par les enfants et les familles à travers ma participation à l'aide aux devoirs et à la catéchèse ; grâce aussi à mes caricatures et à ce qu'il me reste de technique footballistique.

Le 14 janvier, je suis inscrit à l'ANPE et apprends que j'ai droit au RMI. Ma protection sociale est assurée, ainsi que mes moyens (modestes) de subsistance jusqu'en septembre.

Trois jours plus tard, je rencontre le directeur de l'enseignement catholique du diocèse. Il m'explique qu'un professeur certifié doit suivre une formation de deux années, dont la seconde est rémunérée. J'ai plus de 80 % de chances d'être nommé à Marseille. Les sœurs se disent très favorables à cette solution. Dans l'allégresse, je termine la lecture de Madeleine Delbrêl, *Nous autres gens des rues*.

Le 21 janvier au soir, Karim téléphone. Il hésite désormais entre mariage et célibat. C'est d'autant plus douloureux qu'il connaît sa compagne depuis trois ans déjà. Une semaine plus tard, il vient à La Renaude et part se promener avec moi. Il se demande s'il ne devrait pas rompre et revenir ici pour vivre comme moi une vie de moine en cité HLM.

Je reste très prudent : je ne voudrais pas que mon arrivée cause une rupture si elle n'est pas sérieusement motivée. Karim m'explique qu'il avait déjà pensé à une vocation religieuse avant de faire ma connaissance et qu'il avait même effectué une retraite ignatienne pour y voir plus clair. Ce moment de discernement éprouvant avait conclu à une vocation au mariage. Mais, depuis qu'il a reçu ma lettre envoyée de Paris en novembre, il se pose à nouveau la question. Je constate que Karim a vraiment le désir de Dieu.

Le 4 février 1996, je termine la lecture de *La Joie de croire,* de Madeleine Delbrêl, quand à 20 h 45 le téléphone sonne : Karim a décidé de renoncer à son projet de mariage. Le lendemain, les sœurs me demandent de passer les deux mois d'été avec lui en insistant sur la vie communautaire et la formation monastique. Elles me prient d'avancer, de ce fait, mon voyage aux États-Unis aux mois de mai et juin.

Le 7 février, Karim téléphone à nouveau. Il est en paix et heureux de sa décision. Seule ombre au tableau : son amie *« en veut à Dieu »*. Je partage sa souffrance. Mais je suis sûr que, si la décision est bonne, elle la comprendra et l'acceptera plus tard. L'arrivée de Karim est évidemment, pour moi, un signe de taille !

MISSION

Ce dimanche, j'arrive à la messe un quart d'heure à l'avance avec deux petits voisins gitans qui se préparent à leur première communion. Ce sont des enfants remuants : je m'assois donc avec eux au fond de l'église, au cas où ils deviendraient insupportables et qu'il faudrait sortir précipitamment.

Le prêtre annonce une quête pour « les missions » et évoque les terres lointaines, notamment Madagascar. C'est ce qu'on appelle la mission *ad gentes :* tous les baptisés sont par vocation missionnaires, mais il y a des hommes et des femmes comme l'apôtre Paul qui partent à la rencontre de peuples étrangers pour fonder de nouvelles Églises dans le déracinement le plus total.

La messe a commencé depuis plus d'un quart d'heure quand une main se pose sur mon épaule : « *Pourriez-vous laisser votre place à cette dame qui vient d'arriver ?* » Je m'étonne qu'une personne âgée arrivée en retard ait priorité sur un accompagnateur d'enfants pauvres arrivés en avance. Je fais observer à mon interlocutrice que ma présence aux côtés de mes petits voisins est indispensable. Elle me foudroie du regard. Heureusement, j'aperçois une chaise vacante à quelques mètres et y conduis la retardataire.

Ce jour-là, on a beaucoup parlé d'Afrique. Chacun a ouvert son porte-monnaie. Mais quelqu'un a-t-il expliqué ou compris que la « mission » est désormais à la porte de nos paroisses françaises ? Où sont nos missionnaires dans ces cités immigrées à dix minutes de nos églises ? Qui va habiter parmi eux ? Qui se préoccupe de tisser des liens avec ces frères et sœurs sans histoire commune avec nous ?

Ces territoires immenses et si proches sont peuplés de familles étrangères qui connaissent à peine notre langue, notre culture et encore moins notre foi puisque beaucoup sont musulmanes ! *« On reçoit les pauvres et les étrangers avec la plus grande attention. En effet, c'est surtout à travers eux que l'on reçoit le Christ »*, écrivait Benoît dans sa Règle [85] dès le VIIe siècle.

De Martin de Tours à Patrick, en passant par Colomban et Boniface, nombreux sont les moines qui ont évangélisé l'Europe. Les arbres ont des racines, mais les hommes ont des jambes : ces communautés sont allées habiter parmi les peuples dits « barbares ». Elles ont annoncé la Bonne nouvelle par leur témoignage de vie : prière, travail, hospitalité et promotion humaine du voisinage.

Ce monachisme missionnaire et humaniste, qui a construit des écoles et des hôpitaux, est d'actualité dans nos vieilles villes du Nord peuplées de nouveaux immigrés du Sud. La situation réclame une *« visitation d'amitié [86] »* : déplacement géographique vers l'étranger, comme Marie auprès de sa cousine Élisabeth [87],

---

(85) *Règle de saint Benoît*, chapitre 53, verset 15.
(86) Henry QUINSON, *Prier 15 jours avec Christophe Lebreton, moine, poète, martyr à Tibhirine*, Nouvelle Cité 2007, pp. 32-33.
(87) Lc 1,39-56.

et salutation de frères porteurs du Christ. Non pour convertir nos voisins : « *Le seul objectif de conversion, c'est soi-même* [88]*!* » La mission consiste avant tout à « *révéler à l'autre qu'il a du prix aux yeux de Dieu* [89] » [90].

Le 16 février 1996, j'aménage un oratoire et une chambre pour Karim. Deux jours plus tard, il vient habiter avec moi pour une semaine. Il a arrêté de fumer. Nous commençons par un pique-nique dans le massif de l'Étoile. Pendant que nous arpentons ensemble ces collines caillouteuses, il m'explique son parcours, ses hauts et ses bas, son expérience des ténèbres et ses remontées vers la Lumière.

Tous les jours nous travaillons ensemble à nettoyer et repeindre la cuisine. Le mercredi des cendres, nous allons à la messe au couvent des dominicains, où j'apprécie la psalmodie polyphonique tout en mesurant à nouveau l'écart qui existe entre cette Église socialement privilégiée et les populations des Quartiers-Nord.

Karim s'avère un postulant sérieux :

« *La prière trois fois par jour et les repas ont rythmé notre semaine. Grande joie à partager, de façon informelle, la Parole de Dieu, son chemin dans nos vies, nos difficultés et découvertes. Karim est reparti très heureux de son séjour. C'est un homme profond, ouvert et humble. Il sait s'émerveiller, s'enthousiasmer et rendre grâce. Il a le goût du contact avec les jeunes.*

« *Il a fait une demande de mise en disponibilité (un an de congé sans solde) auprès de l'Éducation nationale. Cela lui permettra de revenir à La Renaude dès cet été. Il s'est intéressé à la liturgie et s'est*

---

(88) Jean-Guilhem Xerri, *À la rencontre des personnes de la rue*, Nouvelle Cité 2007, p. 61.
(89) Is 43,4.
(90) Jean-Guilhem Xerri, *op. cit.*, p. 61.

interrogé sur sa formation intellectuelle. Peut-être qu'en s'inscrivant, à vingt-six ans, à la faculté de théologie catholique de Strasbourg, il peut bénéficier de la Sécurité sociale et suivre une formation à distance. »

Le 6 mars, je reçois les cent trente-six hymnes de l'abbaye de Tamié pour enrichir la liturgie. Quelques jours plus tard, je commence la lecture de Jacques Loew, *Vivre l'Évangile avec Madeleine Delbrêl*, après avoir terminé *Indivisible amour*. Je recueille toutes les informations pour que Karim s'inscrive en licence de théologie par correspondance.

Le 21 mars, je me rends à la Direction diocésaine de l'enseignement catholique et à l'Institut de formation des maîtres : je n'ai pas le droit de me présenter à l'agrégation parce que je ne suis pas titulaire d'une maîtrise, et il me faudrait une licence d'anglais pour m'inscrire en première année de préparation au CAFEP. Je vais donc tenter le concours en candidat libre. À la veille de mon départ pour les États-Unis, je ne regrette rien : *« Le temps passe vite et j'ai hâte de revenir! La vie à La Renaude est parfois usante psychologiquement, mais elle oblige à être inventif, relationnel, responsable et même rusé! »*

Juste avant de m'envoler pour New York, je découvre, le 27 mars 1996, que sept de mes frères de Tibhirine ont été enlevés par un groupe terroriste. Je téléphone aussitôt à Tamié : père Claude me donne quelques informations supplémentaires. Puis, j'écris à Jean-Marc Thévenet, mon ancien père-abbé. Le 11 avril, il me répond. J'ouvre sa lettre quelques jours plus tard chez ma grand-mère, dans la banlieue new-yorkaise :

« Bien cher Henry, ton message de sympathie et de communion nous a apporté beaucoup de réconfort. Du peu que nous savons des événements du mercredi 27 mars, il est possible de préciser que nos frères n'ont pas été brutalisés au moment de l'enlèvement. On leur

a dit d'emporter quelques effets personnels et leurs cartes d'identité. Diverses choses ont été volées dans leurs chambres mais on n'a pas saccagé la maison. La chapelle n'a pas été touchée.

« *Enfin, un petit fait sympathique : frère Paul était revenu la veille de Tamié avec deux gros fromages. Comme il y avait une croix sur chacun d'eux, les ravisseurs ne les ont pas emportés mais les ont déposés sur une tablette où il y avait une statue de la Sainte Vierge! Il y a donc des signes d'humanité qui nous permettent d'espérer que la suite a été de même.* »

Malheureusement, le 21 mai, j'apprends, au cours d'une visite chez un de mes oncles, que Paul, Christophe, Christian, Célestin, Luc, Michel et Bruno ont été égorgés. La veille, j'avais posté une lettre pour Karim, dans laquelle j'observais :

« *La rencontre entre les "Européens" et le reste du monde, désormais sur un pied d'égalité, va accoucher d'un monde nouveau. Au centre de cette rencontre, il y aura, comme toujours, les problèmes de la distribution du pouvoir et des richesses, mais aussi le choix des normes de civilisation, et donc la question d'une morale, ou éthique, universelle. C'est là que l'Église aura beaucoup à souffrir et à donner...* »

FONDATION

Trois mois après mon retour des États-Unis, le 25 octobre 1996, les sœurs de La Renaude m'expliquent qu'elles ont vu l'archevêque de Marseille. Bernard Panafieu voudrait nous rencontrer, Karim et moi. Il souhaiterait nous envoyer dans un autre quartier. Karim est enthousiaste. Je demande, pour ma part, de pouvoir choisir entre différents lieux possibles d'insertion, en prenant le temps du discernement.

Dès le lendemain, nous allons voir plusieurs cités. Assez rapidement, nous optons pour Saint-Paul, petite cité comparable à La Renaude, habitée par une majorité de familles musulmanes, proche du centre commercial du Merlan, de la faculté de Saint-Jérôme et du métro Saint-Just. Le site paraît idéal. La cité est gérée, comme La Renaude, par Habitat Marseille Provence, ce qui devrait faciliter notre transfert.

Le 29 octobre, Karim évoque la question de son affectation par l'Éducation nationale l'an prochain. Il faut attendre les mois de juin ou juillet pour être sûrs de pouvoir rester à Marseille. Si Karim est nommé ailleurs, nous envisageons de fonder la

Fraternité dans un quartier populaire de Lille, Dunkerque ou Créteil.

Le 1ᵉʳ novembre, nous avons rendez-vous avec le vicaire épiscopal chargé des cités : Robert Peloux est d'accord pour Saint-Paul et me conseille de prendre un « vrai travail » plutôt qu'un emploi purement « alimentaire ». Trois jours plus tard, nous retournons voir le quartier : il est bien situé, dans un triangle de douze cités.

Le 9 novembre, la Fraternité se réunit à La Renaude et les sœurs demandent à Karim d'évoquer notre installation possible à la cité Saint-Paul. Après la réunion, je propose que nous contactions notre aumônier. Le 13 novembre, nous avons une rencontre avec lui et les sœurs. Il insiste pour que Karim garde son poste à l'Éducation nationale, car le discernement de sa vocation n'est pas encore établi : « *Il faut choisir l'implantation en fonction de cette nomination, car on peut vivre le projet de la Fraternité en dehors de Marseille.* »

Karim n'arrive toujours pas à se décider pour postuler en « zone sensible ». Pourtant, c'est la seule solution pour rester sur place. Il craint que les classes ne soient trop difficiles. En attendant, je travaille à l'école *La Marie,* un établissement dominicain pour enfants handicapés. Le 11 décembre, Karim envoie ses vœux pour l'Éducation nationale : les Bouches-du-Rhône, Lille et Amiens sont le tiercé dans l'ordre.

Le lendemain, nous sommes reçus par le père Panafieu. Notre évêque trouve très sage que Karim reste à l'Éducation nationale. Il nous encourage à poursuivre dans cette voie de présence dans les cités, à Marseille ou à Lille. Il prie pour nous.

Le 19 décembre, je fais le point en relisant les notes de mon journal : « *Il fallait sans doute que je "fonde" quelque chose. Je pense que c'est la voie la plus audacieuse. Celle qui me faisait le plus peur. Celle, probablement, qui me fera le plus "grandir". Amen !* »

Le 19 février 1997, Karim et moi voyons notre interlocuteur chez Habitat Marseille Provence. Il nous propose de signer une nouvelle convention. « *Il faut savoir laisser les œuvres naître les unes des autres au fur et à mesure des changements de la vie* [91] », disait Madeleine Delbrêl. Forts du soutien du vicaire épiscopal chargé des cités, nous créons une association loi 1901 nommée *Fraternité Saint Paul* sur le modèle de celle de la Fraternité missionnaire de La Renaude. Seule différence : il s'agit d'une communauté masculine. Je dépose les statuts à la préfecture pour qu'ils soient publiés au Journal Officiel.

Le nom de notre Fraternité est polysémique. Il permet une lecture à la fois laïque et confessionnelle. D'abord, une « Fraternité Saint Paul » à Saint-Paul souligne notre désir d'une présence dans un quartier : y habiter vraiment, c'est-à-dire y dormir, y prendre nos repas, y accueillir et y servir nos voisins. Ensuite, le mot « Fraternité » peut se comprendre comme un désir de vivre la devise républicaine inscrite sur le fronton de nos mairies : devenir ensemble citoyens d'une même ville et d'un même pays. Pas de menace prosélyte !

Cependant, ce nom communautaire est riche d'une signification plus profonde, proprement chrétienne. Si « Saint-Paul » est le nom de notre quartier, il est aussi et avant tout le nom de « l'Apôtre des nations ». La Fraternité Saint Paul est donc délibérément catholique, en communion avec le successeur de Pierre à travers l'évêque du diocèse.

La communauté est constituée de célibataires pour l'annonce de l'Évangile [92]. Nous prions dans la grande tradition juive

---

(91) Madeleine DELBRÊL, « Veillée d'armes, aux travailleuses sociales », 1942, in *Profession assistante sociale,* 5ᵉ tome des *Œuvres complètes,* Nouvelle Cité 2007, p. 368.
(92) 1 Co 7,7.

et monastique : lecture des Écritures et louange trois fois par jour.

Nous habitons un quartier où « *il n'y a ni beaucoup de sages selon la chair, ni beaucoup de puissants, ni beaucoup de nobles* [93] ». Nous sommes de simples locataires, accueillants comme l'apôtre Paul qui « *demeura deux ans entiers dans une maison qu'il avait louée* » où « *il recevait tous ceux qui venaient le voir, prêchant le royaume de Dieu* [94] ».

Nous vivons de notre travail : « *Dans le travail et dans la peine, nous avons été nuit et jour à l'œuvre, pour n'être à charge à aucun de vous* [95]. »

Enfin, nous essayons de devenir les témoins de la charité de Dieu : « *Si je n'ai pas la charité, je ne suis rien* [96]. » Car le Christ s'identifie « *aux plus petits qui sont nos frères* [97] ». Il nous appelle à devenir à la fois sacrement de l'union intime avec Dieu, par le don de notre vie, et signe de l'unité du genre humain par le voisinage évangélique : « *Par la croix, en sa personne, il a tué la haine* » et l'humanité devient « *un seul corps* [98] ».

« *L'universalité du dessein de Dieu,* note Maurice Pivot, *s'inscrit toujours en notre terre par la transformation d'hommes et de femmes arrachés aux particularismes dans lesquels ils sont enfermés* [99]. » Accepter cet arrachement et cette transformation, tel est le défi qui nous est lancé, à nous, moines en cité. Tel est aussi le défi qui se présente, par la force des choses, à tous nos

---

(93) 1 Co 1,26.
(94) Ac 28,30-31.
(95) 2 Th 3,8.
(96) 1 Co 13,2.
(97) Mt 25,40.
(98) Ep 2,16.
(99) Maurice Pivot, *Un nouveau souffle pour la mission,* Les éditions de l'Atelier, Paris 2000, p. 179.

frères immigrés venus habiter, librement ou sous la contrainte, les quartiers déshérités de nos grandes villes occidentales.

Les communautés chrétiennes fondées par Paul étaient toutes marquées par un monde divisé, religieusement (juifs et païens), culturellement (grecs et barbares), socialement (esclaves et hommes libres), économiquement (riches et pauvres). Il en est de même dans nos cités du troisième millénaire. Par le choix de notre logement nous dénonçons toute forme de ségrégation. Nous protestons et luttons contre le racisme, la pauvreté, le chômage, l'illettrisme, l'ignorance, la violence et la drogue.

Mais nous voulons aller encore plus loin : par notre présence parmi les laissés-pour-compte, par l'entraide, le partage et la prière, nous voulons nous laisser engendrer à la Vie. Et la Vie, c'est le Christ, lui qui est par excellence le « frère universel ».

Le 5 mars 1997, l'organisme de formation de l'enseignement catholique de Marseille m'annonce que mon « préaccord » pour passer le concours du CAFEP est valable pour deux ans : je peux me présenter en candidat libre. « *Je commence à croire au miracle : Karim nommé à Marseille, et moi lauréat dans un an, avec le CAFEP à Marseille et notre appartement à Saint-Paul! Je suis décidé à présenter le concours au printemps prochain, sans licence d'anglais, avec l'aide du CNED.* »

Cinq jours plus tard, l'agence Saint-Barthélemy nous reçoit et nous propose un T4 au premier étage pour le mois d'avril. De son côté, Karim se porte finalement candidat en « zone sensible » à Marseille. Il se heurte d'abord à un refus catégorique de l'administration : la date limite de dépôt des dossiers est largement dépassée. Mais un poste se libère inopinément pour la rentrée de septembre. Après un rendez-vous avec le principal du collège concerné, il ne reste plus qu'à attendre l'officialisation du rectorat.

Le 16 mars, nous nous rendons à Saint-Paul pour faire connaissance de la présidente des locataires. Elle nous explique l'histoire de la cité et nous souhaite la bienvenue. Dix jours plus tard, les HLM nous confirment que notre dossier a été accepté.

Le 27 avril, nous allons à la messe à l'église Notre-Dame des grâces du Merlan. Le père Jean Lahondes, très chaleureux, nous y accueille. La communauté paroissiale est vivante et bigarrée. Les sœurs auxiliaires du sacerdoce connaissent déjà Karim. Elles s'enquièrent des raisons de notre présence. Nous expliquons que nous allons demain visiter notre nouveau logement à Saint-Paul et signer, le 30 avril, notre contrat à l'agence Saint-Barthélemy.

Nous emménagerons le 2 mai. Nous sommes à la frontière de trois paroisses : Le Merlan, Saint-Just et Saint-Barthélemy. Il nous faut faire un choix. En rentrant, Karim et moi tombons d'accord : l'assemblée du Merlan nous a accueillis ; elle sera, si Dieu veut, notre paroisse.

VOISINS

« *Vous allez habiter ici?* », s'enquiert un chœur de voix d'enfants intrigués. « *Oui, au B1, vous voyez, juste là, au premier étage...* » Un large sourire éclaire une des petites têtes brunes. « *Alors, on est voisins!* », s'exclame Khaled. Prenant les devants, Jimmy nous prête un tournevis pour bloquer les deux battants de l'entrée du bâtiment. La cité nous ouvre toutes grandes ses portes. « *Ne vous inquiétez pas, je surveille!* », nous lance son père depuis son fauteuil roulant. Il fait un signe en direction de la camionnette remplie de cartons, de livres et de quelques appareils électroménagers : « *Ça risque rien, je reste là!* » Nous pouvons enfin emménager.

Notre ami Anouar décharge les rares meubles que nous avons emportés. Puis chacun porte sa part de fardeau. Nous montons par l'escalier vers l'appartement anciennement squatté que les HLM sont heureux de nous louer. Il nous reviendra d'en faire un reposoir, un lieu de paix où chacun pourra rencontrer, et peut-être un jour reconnaître, Celui-là même qui nous envoie. « *Je pourrai venir?* », risque Hocine sur le seuil de la porte. Il

132

nous observe à contre-jour, visages pour l'heure indéchiffrables. *« Bien sûr. Et toi, où habites-tu ? »*

HLM : Habiter les Lieux de Métamorphose. *« Nous sommes sur une ligne sismique, une ligne de fracture entre le Nord et le Sud, entre nations riches et pauvres, entre le monde musulman et le monde chrétien. Il faut donc que nous soyons là. »* Voilà ce que rappelait Pierre Claverie, archevêque d'Oran, à la veille de son assassinat le 1er août 1996. Nous aussi, nous voulons demeurer « *là* » : la vie monastique consiste d'abord à habiter un lieu symbolique du Royaume et non à accomplir une tâche particulière, fût-elle bienfaisante. *« Les déserts sont des lieux de désolation : les cités pauvres aussi,* note Margaret McKenna. *Le choix de ces lieux exprime une conversion et un engagement* [100]. »

Les moines qui, à partir du IVe siècle, ont peuplé les déserts d'Égypte, de Palestine et de Syrie voulaient retrouver la simplicité de l'Évangile. Le christianisme était devenu la religion officielle de Rome après la conversion de l'empereur Constantin : l'Église avait désormais pignon sur rue ; elle était devenue l'alliée des riches et des puissants. Ce n'était plus l'Église des martyrs et des catacombes. Les Pères du Désert voulaient rappeler que Jésus était né dans une mangeoire à Bethléem [101].

Les moines des cités aujourd'hui choisissent un autre lieu symbolique. Mais c'est un lieu lui aussi périphérique, réputé rude et dangereux. C'est un lieu de contestation face à la société de l'enrichissement égoïste. C'est un lieu d'épreuve et de dépouillement qui ouvre à la communion avec les plus petits.

Les quartiers urbains marginalisés sont proches du cœur de Dieu : le Père céleste aime ces nuées d'enfants tapant dans un

---

(100) *School(s) for Conversion : 12 Marks of a New Monasticism,* Cascade Books 2005, p. 15.
(101) Lc 2,7.

ballon sous le regard de leurs mères, et ces hommes occupés à des travaux mécaniques. Nous sommes conviés à trouver notre place dans cet univers nouveau.

La cité a quasiment mon âge : construite en 1962 au moment du rapatriement d'Algérie, elle est née dans un contexte dramatique et violent. Aujourd'hui encore, quelques pieds-noirs demeurent à Saint-Paul mais tous ceux qui ont pu s'offrir une villa ont progressivement déserté ces immeubles construits à la hâte. Saint-Paul était officiellement une cité de transit destinée à être détruite après quinze ans de service. Mais, comme tant d'autres, elle est toujours là pour accueillir les nouvelles vagues de migrants, parmi lesquelles celle des Algériens venus après l'indépendance pour des raisons essentiellement économiques. Des familles gitanes, des Tunisiens, puis de nombreux Comoriens les ont suivis.

Au total, 70 % des logements du secteur ont été construits en quinze ans à partir de 1962. Ce changement brutal du paysage, plutôt rural à l'origine, n'est pas sans conséquence sur la réalité urbaine d'aujourd'hui. Elle est désormais polarisée entre les « villages » (Saint-Just, Saint-Jérôme, Le Merlan), encore assez européens et chrétiens, et les ensembles HLM, fréquemment peuplés de musulmans arrivés plus récemment en France.

Aucune église n'a été construite dans cette nouvelle zone urbaine. La République a créé des écoles et deux collèges, où le travail des enseignants relève d'une véritable mission civique. Mais la politique du logement social combinée à la carte scolaire produit une forme déguisée de ségrégation. Officiellement, le « collège unique » offre les mêmes chances à chacun puisque le programme est identique pour tous. Cependant, la proportion de parents qui ne maîtrisent pas la langue française est plus élevée qu'ailleurs, et les codes sociaux ne sont guère connus du monde des adultes. L'intégration à la française se fait donc difficilement.

Nos débuts ne sont pas toujours faciles : après quelques semaines de présence, notre bouton de sonnette est arraché. Nous décidons de ne plus accueillir les enfants tant que le coupable ne répare pas son méfait. Deux jours plus tard, on frappe à la porte : « *Quelqu'un a trouvé la sonnette par terre. On peut revenir jouer au scrabble ?* » Notre vocation nous invite à éduquer au respect des autres mais aussi à espérer et à pardonner. L'altérité provoque des conflits mais aussi des conversions !

Distincts mais non distants, nous faisons la connaissance de Najat et des siens, qui sont proches de la marraine de Karim, Marie-Bé de Nolhac, bénévole à ATD-Quart-monde. Des liens d'amitié se tissent avec Karima et Maria, qui ont de la famille à La Renaude. Nous sommes bien reçus par nos voisins de palier. « *Qu'est-ce que vous faites ?* », nous demande-t-on le premier mois. « *Rien !* », répondons-nous, conscients de la provocation.

Rapidement, les habitants comprennent que nous voulons surtout vivre parmi eux, tout simplement. Les jeunes font notre connaissance au détour de nos allées et venues. Notre seul effort relationnel est d'être présent dans notre appartement tous les après-midi.

« *C'est l'indice d'une tiédeur excessive, que de n'être visité par personne,* notait le Marseillais Jean Cassien dans ses *Conférences. Pour vous, si vous brûlez d'un amour véritable et parfait pour Notre Seigneur, et suivez Dieu, qui est charité, avec une ferveur entière, fuyez en tels lieux inaccessibles qu'il vous plaira, les hommes fatalement vous y viendront trouver. C'est la sentence du Seigneur : une ville située sur une montagne ne peut être cachée.* »

Si le Christ habite un tant soit peu nos cœurs, alors Dieu habite notre maison, et celle-ci est visitée à cause de lui. La

Présence réelle en cité, c'est simple comme « bonjour », et ce devrait être le fruit de toutes nos Eucharisties.

Nous avons commencé les travaux d'aménagement de l'appartement et ne correspondons visiblement pas au stéréotype des « curés ». Nous voir couverts de plâtre et de peinture crée un courant de sympathie. Cet après-midi, un jeune voisin de seize ans me porte des tomates farcies toutes chaudes avec du riz. « *Qui vous accueille m'accueille* [102] », dit Jésus : l'hospitalité est d'abord à recevoir ; elle rend hommage à « *Celui qui m'a envoyé* [103] » ; elle grandit aussi celui qui l'offre [104], car en cet instant, c'est moi le pauvre et l'étranger. J'admire cette générosité spontanée.

« *Ici, c'est les Quartiers-Nord,* me lance Madani, *c'est pas comme les Français.* » Je lui fais observer qu'il a peut-être du sang espagnol et kabyle dans les veines mais qu'il possède également la nationalité française. De plus, certains Français d'origine européenne sont, eux aussi, généreux. Mais ces deux mondes s'ignorent : ils ne peuvent reconnaître leurs qualités respectives ou communes. À quand la rencontre ?

Le 17 juillet, je me réjouis avec Karim de sa nomination à Arenc-Bachas. Il ne sera pas dépaysé : ce collège accueille presque exclusivement des enfants originaires du Maghreb et des Comores, comme ceux de Saint-Paul. Ils viennent pour la plupart de la cité du Parc Bellevue, rue Félix Pyat, dans le IIIᵉ arrondissement. Ce sont les enfants les plus pauvres de l'académie et donc de France. Belle vocation ! Le 21 juillet, mon ami

---

(102) Mt 10,40.
(103) *Ibid.*
(104) Cf. Maria RUSSELL KENNY, *School(s) for Conversion : 12 Marks of a New Monasticism*, op. cit., p. 53.

Emmanuel Etté, prêtre ivoirien, célèbre la première messe dans notre oratoire.

La Poste refuse de livrer les colis à Saint-Paul malgré les obligations de ce que l'on appelle en France le « service public ». Motif : « *ZUS* ». Pourtant, les habitants de notre « zone urbaine sensible » payent la TVA comme tout le monde : « *Tous les animaux sont égaux, mais certains animaux sont plus égaux que d'autres* », observait George Orwell dans sa célèbre satire de l'URSS, *La Ferme des animaux* [105]. Seules les lettres sont apportées par le facteur.

Le 28 juillet 1997, je reçois un courrier du séminaire Saint-Sulpice à Issy-les-Moulineaux. Hervé Renaudin m'y écrit :

« *Cher Henry, j'ai vraiment l'impression, à te lire, que les racines sont en profondeur et que la plante "prend bien". Les relations simples, vraies, quotidiennes, de bon voisinage, la joie des Heures, la disponibilité de Karim, et le témoignage en Église, tout cela me donne à penser que ce que tu vis est bien vécu au nom du Seigneur.*

« *En te lisant, je pensais au deuxième livre de Samuel : "Un peuple d'inconnus se mit à son service". À côté de visages célèbres, il y a une foule de témoins "connus de Dieu seul" : une Samaritaine, une pauvre veuve, un centurion, un bon larron… À force de ne pas chercher à paraître, ils laissent la lumière de Dieu transparaître dans le quotidien de l'existence. Ils donnent à chaque instant son poids et sa beauté d'éternité. J'ai l'impression que c'est cela qui est au cœur de ce que tu vis et je m'en réjouis beaucoup dans le Seigneur.* »

---

(105) George ORWELL, *Animal Farm*, 1945.

RELAIS D'ÉGLISE

Un de nos objectifs à Saint-Paul est d'être un « relais d'Église ». Les relais d'Église sont une présence évangélique « *dans le contexte du voisinage immédiat* [106] ». Ceci suppose une communion spirituelle profonde avec la hiérarchie du diocèse, les communautés religieuses expérimentées insérées dans les Quartiers-Nord et les « anciens » qui peuvent nous communiquer leur sagesse.

Le 19 août 1997, Maurice Pivot nous rend visite. Il nous suggère d'être attentifs à la révélation de notre identité en nous posant deux questions. D'abord, qui est invité dans notre appartement : gens du quartier ou personnes extérieures ? Ensuite, que faisons-nous de notre logement : accueil informel ou entraide institutionnalisée ?

Il vaut mieux vivre avec nos voisins, à travers les gestes et les événements de la vie quotidienne, qu'instaurer un système

---

(106) Jon STOCK, *School(s) for Conversion : 12 Marks of a New Monasticism*, Cascade Books 2005, p. 131.

préconçu et durable d'assistanat. L'entraide et le partage doivent naître naturellement de la demande de ceux qui nous entourent, en veillant à ce qu'ils ne soient pas à sens unique et qu'ils ne déresponsabilisent pas les familles. Viser l'autonomie, c'est aussi partir des choses de la terre (accompagnement scolaire, par exemple) pour les orienter vers les réalités du Ciel. Il faut par ailleurs bien distinguer les lieux et les horaires, ceux de la prière par exemple, pour que nous gardions notre identité puisée à la source du Christ des évangiles, dans l'Église.

Le 22 août, pendant que le pape Jean-Paul II rassemble une foule immense sur le Champ de Mars à Paris, nous recevons plus discrètement Robert Peloux. Le vicaire épiscopal chargé des cités trinque à l'avenir de la nouvelle communauté. Le soir même, nous avons la visite de quatre adolescents de La Renaude. Les familles gitanes sont fidèles en amitié. Enfin, le principal du collège Arenc Bachas appelle Karim pour lui dire qu'il accepte, après d'âpres négociations, sa demande de temps partiel.

Le lendemain, c'est notre curé, Jean Lahondes, qui vient nous proposer de participer à l'équipe d'animation pastorale. Le 1er septembre, nous sommes invités à dîner à la paroisse. Jean nous dresse le paysage ecclésial et social du secteur. Le territoire paroissial compte 40 % de chômeurs, le ménage moyen gagne moins de huit cents euros par mois, les HLM constituent les deux tiers de l'offre locative et 60 % des familles ne sont pas imposables.

Prêtre du Prado, Jean a jadis vécu avec Jacques Loew dans le cadre d'une fraternité de la Mission Ouvrière Saints-Pierre-et-Paul, et il a été, pendant plus de dix ans, le « bras gauche » du cardinal Etchegaray. Il devient *de facto* notre plus sûr référent ecclésial et, pour moi, un frère et un ami.

Le 8 septembre, Karim effectue une excellente rentrée scolaire : il enseigne le latin à trois classes de moins de dix élèves, tous de bonne volonté. Notre archevêque est heureux lui aussi. Le 2 octobre 1997, il nous écrit : « *Je me réjouis si l'Esprit Saint peut faire naître dans le quartier où vous êtes une communauté évangélique, et assurer une présence d'Église. Je prie avec vous et vous assure de mes sentiments fraternels dans le Seigneur.* »

Le 14 octobre, je découvre qu'une étudiante de la paroisse habite à deux minutes de chez nous et qu'elle prépare le CAPES d'anglais à Aix! Grâce à elle, j'obtiens les cours de la faculté et nous travaillons ensemble. C'est un soutien précieux, car je consacre par ailleurs beaucoup de temps à améliorer notre liturgie. J'ai procédé à une refonte de tous les offices en retirant les quelques versets qui pouvaient choquer nos hôtes. Nous ne voulons pas que Dieu passe pour un criminel : en Jésus, le « Dieu des armées » est devenu le Dieu désarmé. Christian de Chergé avait voulu réaliser ces changements à Tibhirine, sans succès.

Le 27 octobre, alors que je me remets à la géométrie avec ma voisine Malika, un frère franciscain frappe à la porte. Il habite la cité des Cèdres, non loin d'ici. Autour d'une tasse de thé, je lui explique que certains collègues de Karim s'inquiètent pour nos retraites de salariés à mi-temps : seront-elles suffisantes pour nos vieux jours? Qu'en pense un disciple du *poverello* d'Assise?

« *Jésus est mort abandonné de tous. Or "le serviteur n'est pas au-dessus de son maître"* [107] *: au diable, ces calculs de points de retraite!* », me lance-t-il.

Un mois plus tard, un petit groupe de jeunes voisins nous rend visite. Ils apportent, sans le savoir, des informations complémentaires. Nadjim regarde autour de lui d'un air pensif :

---

(107) Mt 10,24.

– *Vous êtes riches parce que tu as des lunettes, une croix, des livres et des plantes. Mais vous êtes pauvres parce que vous n'avez pas de gros meubles, pas de télévision et pas de voiture.*

Abdou, qui apprécie mes caricatures, me tend une feuille et un crayon :

– *Dessine-moi en jeune homme de vingt ans. Toi, tu seras très vieux. Mais je t'aiderai, je m'occuperai de toi et Karim.*

Ses trois amis renchérissent :

– *Oui, on s'occupera de vous quand vous serez vieux.*

Le 29 novembre, c'est notre ancien curé de Saint-Jérôme qui nous rend visite. Nous parlons des musulmans en France : « *Comment faire en sorte qu'ils ne deviennent pas de tristes consommateurs individualistes athées, mais gardent un vrai sens de la communauté et de Dieu ?* » Nous venons de fabriquer des anges avec nos petits voisins musulmans à l'approche de Noël, à leur demande, avec des phrases acceptables pour nos deux traditions : « *Dieu est grand* », « *Dieu est saint* », « *Dieu est tout-puissant* ».

Il nous semble que c'est à nous de donner l'exemple : prière, hospitalité, partage et une forme de catéchèse de la vie. Les enfants musulmans peuvent y apprendre ce qui nous est commun. Ils peuvent aussi entrevoir la diversité de la foi ainsi que la liberté de conscience et d'expression.

À Noël, nous offrons des gâteaux au chocolat aux familles avec qui nous avons déjà des liens. Les locataires du dessous nous apportent des oranges et une bouteille de vin ; nos voisins de palier nous invitent à boire un verre. Le 25, nous déjeunons avec notre curé, après avoir emmené trois enfants du quartier à la messe : un « black », un « beur », et un « gitan », nouveaux mages de la Nativité.

Les vêpres, célébrées ici avec les étudiantes malgaches et notre amie Mireille, donnent lieu à ce commentaire : « *Une prière comme ça, ça fait du bien.* » Leurs visages apaisés témoignent de la puissance régénératrice des psaumes de David : « *Chaque fois que le mauvais esprit assaillait Saül, David prenait la cithare et en jouait; Saül respirait alors plus à l'aise, se trouvait soulagé et le mauvais esprit se retirait de lui* [108]. »

Nos cadeaux, cette année : les écrits de Christian de Chergé pour Karim, les poèmes de Christophe Lebreton pour moi. Tibhirine est au cœur de ce que nous vivons ici. Nous trouvons aussi notre inspiration auprès de Dom Bosco, Jean-Baptiste de la Salle, Basile de Césarée et la Fraternité missionnaire de la Renaude (même si la FMR fut éphémère).

Le 27 décembre, Maurice Pivot revient déjeuner. Le dimanche 11, nous sommes reçus par les Petits frères de Jésus à la Busserine, HLM très proche de chez nous. Le 27 janvier 1998, Suzanne Perrin, compagne de Madeleine Delbrêl, m'envoie les statuts des équipes que je lui avais demandés. Elle y joint un texte de Madeleine sur la question des formes canoniques de ses communautés :

« *Ce dont elles ont besoin, ce n'est pas qu'on leur donne une structure, mais qu'on les en préserve. C'est qu'on les garde de ce qui les empêcherait d'être entièrement dans le monde, comme elles ont besoin qu'on veille sur elles pour les garder de ce qui les ferait du monde* [109]. »

Le 24 février, le curé de Saint-Victor nous rend visite : il se réjouit, lui aussi, de la naissance de ce nouveau relais d'Église. Nous recevons ensuite les auxiliaires du sacerdoce de la cité des Hirondelles et les prêtres de la Mission de France.

Pour l'Aïd, Kader et Mohamed nous apportent des gâteaux.

---

(108) 1 S 16,23.
(109) Madeleine DELBRÊL, *Communautés selon l'Évangile*, Seuil 1973, p. 15.

C'est le bel islam. Je leur fais des *brownies*. Le 26 mai, notre amie Zineb nous explique qu'elle a été battue par son frère « *au nom de la religion* ». Elle évoque « *le Dieu mâle qui châtie, envoie en enfer et interdit de poser certaines questions* ». C'est l'islam inquiétant.

Comment lutter contre la violence orgueilleuse de l'obscurantisme? Nous choisissons l'éducation : s'ouvrir aux autres et réfléchir. Face aux demandes croissantes d'aide scolaire, nous définissons des jours et des heures où les jeunes s'inscrivent à l'avance. En juillet, la France « black, blanc, beur », emmenée par Zinedine Zidane, devient championne du monde de football. J'entends pour la première fois ici : « *Vive la France!* » À quand des « blacks » et des « beurs » ministres?

Le 20 juillet, j'apprends que j'ai réussi mon concours de professeur certifié d'anglais. Je suis aussi le seul lauréat de l'académie d'Aix-Marseille en lettres-langues. Le 7 juin, le Crédit Agricole Indosuez m'avait proposé un emploi de cadre à mi-temps à Marseille : je décline aussitôt cette offre et choisis le poste d'enseignant qui m'attend à Notre-Dame de Sion. Par ailleurs, on me rapporte que mon ancien maître des novices à Tamié a quitté l'Ordre trappiste et l'Église catholique : il a rejoint un monastère orthodoxe. Tous ces éléments me confortent dans ma voie.

Karim, en retraite à l'abbaye d'Echourgnac, m'envoie une carte postale avec ce mot de Jacques Loew, retiré là-bas : « *Heureux d'avoir rencontré mes successeurs.* » Le 3 novembre, notre évêque nous renouvelle sa confiance. Jean Lahondes me propose d'être ordonné diacre mais Bernard Panafieu juge, comme moi, que cela n'est pas nécessaire : les charismes ne se traduisent pas forcément en ministères. Il évoque Charles de Foucauld : « *Vous vivez un enfouissement qui n'est pas camouflage.* »

Nous lui laissons le texte qui définit notre forme de vie, fondée

sur sept piliers : célibat évangélique, prière quotidienne, logement en cité HLM, travail à mi-temps, hospitalité, entraide et
participation à la vie paroissiale [110]. Puis, nous retournons habiter
notre quartier, convaincus que, *« par l'amitié et le dialogue, les
cœurs s'ouvrent à la rencontre de Celui qui nous envoie* [111] *»*.

---

(110) Cf. annexe en fin d'ouvrage.
(111) « Les sept piliers de la Fraternité Saint Paul » (cf. annexe).

SECRET MESSIANIQUE

Le 24 décembre 1998, nous recevons un coup de téléphone du vicaire général chargé des cités. Robert Peloux veut simplement nous souhaiter un joyeux Noël. Il me demande des nouvelles du quartier. En partageant avec lui quelques anecdotes significatives, me voilà transporté quelques mois en arrière.

Farid, un jeune originaire des Comores, m'apostrophe sur la place, à l'ombre des platanes, et commence à me parler, mais les yeux fermés. Je réponds à ses questions, puis je lui fais observer qu'il est étrange de parler à quelqu'un les yeux clos. Il me rétorque que je porte une croix et que sa religion – l'islam – lui interdit de regarder un tel objet. Je lui réponds que j'ai lu plusieurs fois le Coran et qu'il n'y a aucune sourate stipulant cet interdit.

J'ajoute qu'il lui sera difficile de vivre en France les yeux ouverts parce qu'il y a beaucoup d'églises et qu'elles arborent toutes au moins une croix! Enfin, je lui cite un verset du Coran qui invite au respect des chrétiens, de leurs prêtres et de leurs moines : « *Tu constateras que les hommes les plus proches des croyants par l'amitié sont ceux qui disent : "Oui, nous sommes chrétiens", parce qu'on trouve parmi eux des prêtres et des moines qui ne s'enflent pas d'orgueil [112]. »*

Il est vrai que d'autres versets du livre saint des musulmans manifestent de la défiance à l'égard des chrétiens : « *Leurs moines mangent le bien des hommes [113]* »; « *Ils prennent Jésus et Marie comme des divinités [114].* » Cette dernière affirmation est erronée : la « *mère de Dieu* » *(theotokos)* n'a jamais été élevée au rang de « *divinité* » dans l'Église catholique.

En fait, il est surtout reproché aux chrétiens de s'égarer en n'accueillant pas le témoignage coranique qui viendrait, selon le prophète de l'islam, parachever toutes les révélations antérieures. C'est pourquoi il y a des mises en garde concernant l'amitié avec les juifs et les chrétiens :

« *Ô croyants! Ne prenez point pour amis les juifs et les chrétiens; ils sont amis les uns des autres. Celui qui les prendra pour amis finira par leur ressembler, et Dieu ne sera point le guide des pervers [115].* »

Cependant, bonté et justice sont dues à tous ceux qui n'ont pas cherché à nuire aux musulmans [116]. Il faut d'ailleurs discuter avec les juifs et les chrétiens « *de la plus belle manière [117]* ».

Combien de mes voisins connaissent ces versets directement

---

(112) Coran 5, 82. Il reste que certains musulmans refusent de traduire ici le mot *naçara* par « chrétiens ». Par exemple, Muhammad Hamidullah (1908-2002) écrit « Nazaréens », expliquant en note : « Nazaréens : terme désignant une secte judéo-chrétienne ». Dans l'esprit des feuillets primitifs du Coran, on ne pourrait donc pas traduire *naçara* par « chrétiens ayant la foi trinitaire ».
(113) *Ibid.,* 9, 34.
(114) *Ibid.* 5, 116.
(115) *Ibid.,* 5, 57.
(116) *Ibid.,* 60, 7-9.
(117) *Ibid.,* 29, 46.

ou indirectement? Lesquels considèrent-ils comme « abrogés » ou « abrogeants »? Je ne peux répondre à leur place [118]. Pour ma part, j'écoute l'enseignement de Benoît XVI dans sa lettre encyclique *Deus caritas* : « *Comme Dieu nous a aimés le premier, l'amour n'est plus seulement un commandement, mais il est la réponse au don de l'amour par lequel Dieu vient à notre rencontre.* » Dans cet Esprit, notre porte est ouverte à tous.

Deux mois plus tard, Farid la franchit pour jouer au scrabble avec quelques-uns de ses amis. Tout le monde a désormais les yeux ouverts. Le voisinage fraternel a détruit les préjugés et rompu les barrières de l'ignorance. Quatre mois plus tard, Farid, que j'aide à résoudre des équations mathématiques pour l'école, me dit : « *Mais, en fait, Henry, vous êtes venus pour nous!* »

Sa vision du monde a changé : il commence à entrevoir une part du mystère. Oui, nous aurions pu ne pas venir habiter une cité HLM, comme – toutes proportions gardées – Dieu aurait pu ne pas venir prendre chair. Mais Dieu s'est manifesté dans l'histoire des hommes. L'Église est ce corps du Christ, défiguré par toutes nos erreurs, toutes nos horreurs, mais aussi enrichi par toutes nos découvertes et tous nos gestes d'amour. Elle est le témoignage d'une Révélation progressive, qui prend le temps qu'il faut : quelques années, la vie d'un homme, plusieurs générations, des siècles ou des millénaires.

C'est le « secret messianique ». Lente métamorphose de Farid, lente métamorphose de l'humanité. Métamorphose de l'Église aussi. Porter une croix à mon cou était sans doute nécessaire : tous mes voisins savent que je suis chrétien de confession. Mais je dois désormais devenir chrétien de comportement. Ma vie

---

(118) Cf. Henry QUINSON, « L'islam au miroir de Tibhirine », *Commentaire*, numéro 113, printemps 2006.

elle-même est appelée à devenir signe : « *C'est à cela que l'on reconnaîtra que vous êtes mes disciples : si vous vous aimez les uns les autres* [119]. »

Le 1ᵉʳ septembre 1999, j'effectue ma rentrée de professeur à mi-temps au lycée Sainte-Marie Blancarde après la validation de mon concours en juin. J'aime mes élèves et ce métier d'enseignant. Je construis progressivement des cours multimédias sur ordinateur projetés à l'écran par vidéo projecteur. « *Ça fait bizarre d'avoir comme prof un curé moderne* », commente un de mes élèves. L'Église donne à beaucoup l'image d'une institution en retard de plusieurs siècles. Étrange. Le Ressuscité qu'elle a vocation d'annoncer possède, lui, une éternité d'avance !

Le 15 septembre, le logement que nous avions demandé aux HLM pour Jérôme, professeur stagiaire issu de l'aumônerie de la paroisse, nous est attribué. Nous pouvons aménager un appartement pour des étudiants motivés par la prière et l'accompagnement scolaire. C'est urgent, car, sur ce plan, il faut faire autorité.

Ce soir, Lakdar, qui n'a que sept ans, m'oppose une belle résistance quand je m'aventure à corriger l'une de ses nombreuses fautes d'orthographe : « *Qu'est-ce que t'en sais que ça s'écrit comme ça ?* », me lance-t-il. Je suis surpris qu'un élève de CP mette en doute la parole d'un adulte. Je lui réponds qu'il est un enfant et que j'ai l'âge de son père. Cela ne le convainc nullement de ma supériorité orthographique.

J'ajoute que je suis professeur. Lakdar soudain m'écoute. Je réalise que ses parents ne maîtrisent guère la langue française, et tout s'éclaire : pour beaucoup de mes petits voisins, l'adulte n'est pas une autorité en matière linguistique ou culturelle. Pas

---

(119) Jn 13,35.

facile d'être parents dans ce contexte! L'autorité jadis traditionnelle de « l'ancien » n'est plus automatiquement acquise : il faut désormais la conquérir!

Notre soutien scolaire s'organise : des lycéens, des étudiants, de jeunes professionnels et des retraités se relaient, une fois par semaine, pour accompagner un ou deux jeunes. C'est la « fuite des cerveaux » à l'envers! Nous avons photocopié des fiches d'orthographe et de mathématiques qui permettent, en quatre ou cinq années, au rythme de trois séances hebdomadaires d'une heure, de combler les lacunes, voire de dépasser le niveau scolaire moyen des établissements du secteur.

Aujourd'hui, j'enregistre une réaction étrange. Après deux avertissements préalables, je somme Yacine, trop perturbateur, de quitter les lieux. *« Je ne reviendrai plus chez vous! »*, riposte-t-il sur le ton du chantage. Or sa présence ne nous rapporte pas d'argent : nous l'accueillons gratuitement et n'avons aucun autre intérêt à sa venue que lui rendre service. En fait, Yacine reproduit des attitudes adoptées dans des lieux où sa présence est vitale pour l'obtention de subventions. La marchandisation de l'entraide est devenue telle qu'elle aboutit à ces comportements pervers pour l'éducation des jeunes. Le bénévolat n'est pas la réponse à tout, mais les familles doivent veiller à ne pas déléguer toute la vie des enfants au secteur marchand ou subventionné. L'éducation ne se monnaie pas!

Le 1er octobre, de nouveaux étudiants prennent connaissance des dossiers contenant les fiches pour nos petits voisins. Les pochettes sont nominatives : Ahmed, Aslanis, Zina, Chems Eddine… *« Tous ces noms sont étranges! »*, s'exclament ces accompagnateurs dépaysés. Quelques minutes plus tard, les premiers écoliers du quartier arrivent. J'ai oublié mes copies d'anglais sur une table. Intrigués, ils déchiffrent les noms de mes élèves :

Jean Dupont, Marine Charbonnier, Romain Martin... « *Ils sont bizarres, ces noms!* », commentent-ils à leur tour.

« *C'est probablement parce qu'il y a si peu d'amitié dans le monde qu'il est en morceaux, gisant de-ci, gisant de-là, morceaux qui s'ennuient les uns des autres, qui attendent de se retrouver* [120] », constatait Madeleine Delbrêl en 1941. Aujourd'hui, certains encouragent, sans s'en rendre compte, la ghettoïsation des activités parascolaires et des loisirs en confiant systématiquement les jeunes des cités à d'autres jeunes des cités. Nous préférons faire venir des accompagnateurs extérieurs au quartier : ils sont différents et font le geste de se déplacer. Leur présence amicale ne passe pas inaperçue auprès des parents et de tous les habitants, qui découvrent qu'ils ne sont pas maudits! Le décloisonnement dépasse le cadre strictement scolaire du tutorat dans notre appartement : il est aussi social et culturel.

Au fil des rencontres, les jeunes arrivent à dire leurs préoccupations, ce qui les intéresse et ce qu'ils cherchent. Dans cette dynamique, les adolescents se font parfois une idée de ce qu'ils pourraient faire plus tard : ils forment un projet. Ainsi, ils s'insèrent dans la société après avoir découvert certains de ses codes et les ressources qu'ils ont en eux.

Aslanis s'est battu jusqu'au bout pour passer son bac technologique. Il veut être banquier. Quand nous l'avions aidé à s'inscrire dans un lycée dans les « beaux quartiers », il ne pensait pas que seuls trois de ses camarades observeraient le jeûne du Ramadan. Mais il a accepté de sortir de son milieu ethnique et religieux et a maintenant déménagé pour habiter plus près de son lieu de travail. Dans son costume-cravate, il me fait penser à mon père,

---

(120) Madeleine DELBRÊL, « Veillée d'armes, aux travailleuses sociales », 1942, in *Profession assistante sociale*, op. cit., p. 322.

quoique plus bronzé. À ce rythme-là, bientôt, il me reprochera de porter des *jeans*!

Moktar n'était pas conscient de ses possibilités intellectuelles. Il a fallu le convaincre de passer le baccalauréat. Il a obtenu un bac ES sans difficulté. Puis, il a accepté l'idée de faire une « prépa » dans le meilleur lycée public de Marseille. Finalement, il a réussi à intégrer Euromed, une excellente école de commerce, aidé par une bourse privée que nous lui avons trouvée.

Jennifer a eu son bac littéraire *in extremis* à l'oral, grâce à son travail acharné et à l'aide de Karim pour son oral de philosophie. Elle a réussi sa maîtrise de lettres à Aix-en-Provence et prépare les concours de professeur des écoles. Ses parents ne parlaient presque pas français.

Quelques fleurs dans le désert? Ces « dérouilleurs » ne sont pas des exceptions qui confirment la règle de la ségrégation : ce sont des prototypes contagieux, les premiers signes de la métamorphose qui s'opère à l'ombre des tours de nos cités. Leur réussite redonne espoir et fait école. Le progrès social est indéniable. Mais comment contribuer également au progrès spirituel et religieux de nos voisins? Cette question me taraude. Je lis. Je réfléchis. Je scrute la vie quotidienne. Je sais que la lumière surgit souvent là où on l'attend le moins.

ABRIBUS

Ce matin, 10 décembre 1999, j'attends l'autobus comme tout le monde, en face de la traverse de La Palud, devant le bar du quartier. À côté de l'abribus, deux fillettes jouent à la boulangère : l'une vend du pain, l'autre mime les clients. J'entre dans la danse et prétends que je veux acheter une baguette. Les fillettes sont ravies qu'un adulte s'intéresse à elles. Mais une voix masculine interrompt notre jeu : « *Qu'est-ce que vous leur voulez à mes petites?* »

Je me retourne et découvre un homme d'une cinquantaine d'années, la cigarette aux lèvres, qui me dévisage de la tête aux pieds. J'explique que je ne fais que tuer le temps avec ses enfants en attendant l'arrivée du 53. Je n'avais pas repéré qu'il était leur père. Puis je précise que j'habite la cité Saint-Paul. L'homme est rassuré quand il apprend que je connais beaucoup de jeunes du quartier parce que je fais de l'accompagnement scolaire. Teddy se présente et la conversation s'engage; elle se poursuit dans le bus.

Quelques jours plus tard, je rencontre à nouveau Teddy : il

m'invite à prendre le café chez lui, dans la cité d'à côté. Je fais la connaissance de sa femme et de tous leurs enfants. Il me raconte sa vie, la distance qu'il a prise par rapport à l'Église. Il dit ne plus croire en Dieu. Pourquoi ? Sa mère est tombée gravement malade quand il était enfant. Un prêtre lui a dit que s'il priait elle guérirait. Elle est morte quelques jours après. Orphelin à la DDASS, Teddy a fini par tomber dans la délinquance. La prison a fait le reste. Quand il a cherché à refaire sa vie, il a demandé à un « curé » une messe de mariage. « *Il fallait payer, sinon rien.* » Dieu et son Église pouvaient « *aller se faire voir ailleurs* ».

Au bout de quelques mois, Teddy nous demande si ses filles ne pourraient pas venir au soutien scolaire à Saint-Paul. Maintenant, il nous demande de catéchiser ses enfants. Il veut que ce soit nous et personne d'autre. Nous lui expliquons que c'est important pour ses filles de découvrir notre communauté paroissiale et, à travers elle, l'Église universelle. Il accepte et se rend même à quelques réunions de catéchèse, où il trouve qu'il y a, à sa grande surprise, « *beaucoup de noirs* ».

Ce retour vers le Christ s'opère par la grâce du voisinage. Si nous n'habitions pas Saint-Paul, nous n'aurions jamais fait connaissance. Et si nous ne partagions pas les mêmes conditions d'existence, la rencontre ne serait jamais allée aussi loin : « *Vous, vous êtes plutôt perdants, c'est pour ça que je vous fais confiance* », avoue Teddy.

Je constate qu'il en est de même pour ce que les spécialistes appellent le « dialogue interreligieux » : « *Le dialogue purement théologique est sans issue* », reconnaissait Christian de Chergé [121]. C'est la proximité et la durée qui permettent d'accueillir l'étranger

---

(121) Christian de CHERGÉ, « Dialogue inter-monastique et islam », Montserrat, avril 1995-novembre 1995, *in L'Invincible espérance*, Bayard éditions/ Centurion 1997, p. 209.

ou le pauvre quelle que soit son étiquette confessionnelle [122]. Invités au mariage religieux d'Ali et Naïma, nous sommes les seuls chrétiens. Leur fils Aslanis est venu à l'accompagnement scolaire et nous les avons aidés quand leur appartement a brûlé accidentellement [123]. Le voisinage suscite donc des rencontres qui peuvent aller jusqu'à participer aux cérémonies cultuelles d'une autre confession.

Toutefois, il s'agit moins de « vivre avec l'islam » que de vivre avec des voisins qui sont, entre autres choses et de manières très diverses, plus ou moins musulmans. D'ailleurs, dans les cités HLM, les critères d'appartenance confessionnelle sont très variables. Kamel nous dit : *« C'est bien : vous faites la prière. »* Il ne précise pas laquelle. Les frontières ne correspondent pas toujours aux définitions des clercs ou des spécialistes de l'histoire des religions.

Ainsi, Soraya, qui sait que je suis chrétien, me dit un jour : *« Nous sommes tous musulmans. »* Elle veut dire : « Nous sommes tous croyants. » Mais qu'est-ce qu'être croyant ? De quel Dieu s'agit-il ? Le critère retenu semble souvent celui de l'Évangile : l'amour du prochain. Celui qui a bon cœur est reconnu comme un homme de Dieu. L'étiquette collée sur le pot de confiture ne suffit pas : le voisinage dans la durée met chacun à l'épreuve de la charité en actes.

Rien d'étonnant que Farid Esack, théologien musulman appartenant à la minorité indo-pakistanaise d'Afrique du Sud, soit parvenu à une conclusion similaire. Sa famille était pauvre,

---

(122) Cf. Henry QUINSON, « Vivre avec des voisins musulmans », *Communio,* hiver 2007.
(123) Ces trois dernières années, nous avons connu un incendie par an à Saint-Paul (appartements ou cages d'escalier) sans que les causes soient clairement et publiquement expliquées.

et durant son enfance il a fait l'expérience de la solidarité avec des voisins chrétiens :

« *Comment aurais-je pu regarder Mme Batista et Tante Katie dans les yeux tout en croyant que, malgré la gentillesse qu'elles manifestaient dans toute affaire à notre égard, elles étaient destinées à la malédiction de l'enfer* [124] *?* »

Il en a déduit que toutes les religions (et les athéismes) se divisent entre ceux qui pactisent avec l'injustice et ceux qui la combattent. Il rejoint ainsi le propos de Jésus : « *Chaque fois que vous avez fait du bien à l'un de ces petits qui sont mes frères, c'est à moi que vous l'avez fait* [125]. » Le critère décisif n'est pas l'invocation d'un dieu – fût-il le vrai Dieu – mais la fraternité concrète : « *Il ne suffit pas de me dire : "Seigneur, Seigneur!", pour entrer dans le Royaume des cieux; mais il faut faire la volonté de mon Père qui est aux cieux* [126]. »

Au gré des rencontres, nous essayons donc de découvrir ensemble cet Amour concret et universel qui nous entoure et nous habite tous. Nous écoutons d'abord les contradictions vécues par nos voisins. Chafia se dit musulmane parce qu'elle observe le jeûne du Ramadan et les cinq prières rituelles quotidiennes. Mais elle souhaite une évolution du statut de la femme par rapport à celui de son pays d'origine [127].

---

(124) Cité par Rachid Benzine, *Les Nouveaux penseurs de l'islam,* Albin Michel 2004.
(125) Mt 25,40.
(126) Mt 7,21.
(127) L'Assemblée nationale algérienne a adopté, en 1984, un code de la famille qui réduit les femmes au rang de personnes mineures, donne aux hommes le droit d'interdire à leurs épouses de travailler en dehors de la maison, la possibilité de divorcer sur simple demande, le pouvoir d'empêcher leurs filles de se marier sans l'accord paternel, et défend aux musulmanes d'épouser un non-musulman.

Ce genre de paradoxe découle du fait qu'elle suit les consignes religieuses à la maison mais regarde aussi la télévision française et reçoit l'enseignement de l'Éducation nationale. Dans ce contexte, elle ne peut pas définir une fois pour toutes le contenu de son identité religieuse de manière tranchée et formelle : elle élabore petit à petit une synthèse provisoire liée au pluralisme de la société occidentale. Karim est la preuve vivante qu'il y a des chrétiens « arabes ». La distinction entre ethnie, culture, langue, nation et confession religieuse apparaît souvent pour la première fois. Cette découverte oblige à une reformulation plus précise du contenu et des pratiques de la foi.

Aujourd'hui, l'accompagnement scolaire se termine. Il reste Amina, française d'origine kabyle, et Soumia, française de Mayotte. Toutes les deux ont treize ans et sont musulmanes. Certains collégiens ont refusé d'aller à la piscine pendant le Ramadan. Soumia les comprend : « *De l'eau dans la bouche ou les oreilles, ça casse le Ramadan.* » Amina proteste : « *Dieu sait quand on ne fait pas exprès!* »

J'interviens : « *Allah est d'une intelligence incomparable, n'est-ce pas?* » Soumia acquiesce : Dieu, dans sa tradition comme dans la mienne, est omniscient. La conversation se termine sur un progrès théologique et pratique : si Dieu est intelligent, il ne peut pas nous demander d'être bêtement ritualistes. Les questions et les réponses sont venues de deux jeunes musulmanes. Je n'ai fait que glisser une interrogation sur les attributs de Dieu et il y a eu rapprochement des points de vue sans altération de l'identité confessionnelle proprement dite.

Ce matin, je m'interroge. Il est si rare de pouvoir échanger sur le plan théologique avec de jeunes adultes. N'est-ce pas un gâchis pour moi d'habiter ici? Soudain, Medhi, vingt-quatre ans, appuyé sur une voiture, m'apostrophe : « *Henry, tu connais les évangiles apocryphes?* » Je n'en crois pas mes oreilles. « *Ils en ont parlé à la télé hier et j'ai pas tout compris.* »

La conversation dérive vite vers la question de « l'inimitabilité » du Coran et de son statut de « parole incréée » de Dieu. J'explique la notion judéo-chrétienne de « canon » des Écritures et les évolutions de l'exégèse catholique après la crise moderniste. Medhi est passionné. En substance, il pense que l'écrivain franco-tunisien Abdelwahab Meddeb a raison : « *Il faut procéder à une lecture évangélique et de la Bible et du Coran : c'est le littéralisme qui est mortel* [128]. » Ce dialogue interreligieux est le fruit d'un long voisinage qui coupe court aux suspicions d'« islamophobie », de « néocolonialisme » ou de « racisme ».

Nasser vient parfois prendre le café. Il me dit un jour : « *Ça fait du bien de venir ici. Vous êtes les seuls avec qui je peux parler d'autre chose que l'OM et les bagnoles.* » Abdelkader, Samira, Abdallah et Fatia, eux, ont fait la grande découverte : ils demandent le baptême. L'Esprit Saint ne connaît pas les frontières. C'est lui qui mène la danse. Je ne suis pas le maître de la vie ni du temps : « *Il en est du règne de Dieu comme d'un homme qui jette le grain dans son champ : nuit et jour, qu'il dorme ou qu'il se lève, la semence germe et grandit, il ne sait comment* [129]. »

Ceux que rassure l'appartenance des uns et des autres à des blocs monolithiques et figés vivent mal ces risques de métissages culturels et de conversions religieuses. Les mariages intercommunautaires sont souvent inconfortables mais de plus en plus nombreux. Nous constatons qu'un dialogue sincère et respectueux des consciences s'instaure petit à petit, fruit des migrations et des nouveaux voisinages.

---

(128) *Le Monde,* 3 octobre 2006.
(129) Mc 4,26-27.

« *Une doctrine qui ne peut se maintenir au grand jour mais seulement dans l'obscurité perdra nécessairement son influence sur l'humanité* », affirmait Albert Einstein. Les cités HLM d'Occident ne sont-elles pas ce creuset où chrétiens et musulmans sont appelés ensemble à approfondir et purifier leur foi, « *rabotée jusqu'à la transparence* [130] » ? Peut-être le temps est-il venu de passer d'une vérité pure et dure à une vérité pauvre et nue [131] ? Car la fragilité de la vie et de l'amour nous est commune : la maladie, les accidents et la mort, régulièrement, nous le rappellent.

(130) Christiane SINGER, *Derniers fragments d'un long voyage,* Albin Michel 2007.
(131) Cf. Henry QUINSON, « Christian de Chergé : optimisme naïf ou invincible espérance ? », *Chemins de dialogue,* numéro 27, printemps 2006.

INTERSTICES

Le 27 janvier 2000, comme à la fin de chaque mois, nous prions l'office des défunts. À 21 h 10, Josy et Antoinette frappent à la porte : leur grand-mère est décédée. Nous arrivons dans un appartement bondé. Les femmes sont auprès de la défunte, dans sa chambre ; les hommes restent entre eux dans la salle de séjour. Nous entonnons l'hymne : « *Mon cœur ne peut se résoudre à la nuit...* » Suivent quelques mots, une lecture de l'apôtre Paul, le rappel de notre foi en Jésus ressuscité et ressuscitant, le Notre Père. Notre oraison improvisée, la bénédiction et le signe de croix sur la défunte apportent la paix.

« *Nous nous sommes permis, Seigneur, d'être avant tout Esprit consolateur, Esprit d'espérance en l'Amour infini. Je sais que tu te moques de la comptabilité et des bilans. Tes bras sont ouverts à ceux qui pleurent et viennent frapper à ta porte, qui, ce soir, était la nôtre... C'était ta première manifestation liturgique pour un défunt du quartier.* »

Nous sommes tous plus ou moins barricadés dans le confort illusoire de nos représentations du monde, religieuses ou athées.

Mais les événements de la vie sont ces interstices par où nous parvient la lumière du vrai Dieu, toujours surprenante et régénératrice. Le 26 mars, Jean-Paul II termine son pèlerinage à Jérusalem, prophète de la réconciliation entre juifs et chrétiens. A-t-il fallu la *Shoah* pour que l'Église secoue enfin l'antisémitisme des siens? Nous sommes unis au pape et à tous ceux qu'il a rencontrés.

Notre voisine Sofia, lycéenne d'origine malgache, participe à notre prière du soir. Son père a tenté de tuer sa mère à coups de couteau : elle aussi cherche la paix. La violence se tapit partout, insidieuse et psychologiquement éprouvante. Un samedi soir, une famille me convoque pour une histoire de viol : que doit faire la jeune fille? Mon cœur est broyé. Le dimanche, nous sommes invités chez Fatima pour faire la connaissance d'un de ses maris sortant de quatre ans de prison. Ahmed parle de sa dépendance par rapport aux « cachets » et à la bière.

L'alcoolisme, la drogue, la violence et la mort, nous en parlons lors de la rencontre annuelle avec notre évêque. Bernard Panafieu souligne l'importance du témoignage : nos voisins peuvent se situer librement, à la différence des sectes qui veulent à tout prix recruter, parfois en profitant du choc des deuils. Dans l'Église qui est à Marseille, nous avons trouvé notre place : on nous confie un « stand » au Parc Chanot pendant le week-end de la Pentecôte pour fêter le passage dans le troisième millénaire. Puisse ce millénaire apporter la paix, la justice, l'unité du genre humain et une meilleure écologie!

Nos ampoules sont à faible consommation électrique, nous vivons sans voiture, je ne mange guère de viande, et, ce matin, comme d'habitude, je vais jeter les ordures à la poubelle du quartier. Dans notre zone urbaine, ce geste banal est un acte de résistance contre la dégradation de l'environnement. Sur le chemin, je rencontre notre voisin Anton, qui est pasteur de l'Église évangélique gitane. Ici, on appelle les membres de cette communauté « les alléluias » parce que leurs rassemblements sont particulièrement sonores et riches en acclamations bibliques.

Il y a deux semaines, Anton a demandé à Karim de lui écrire une homélie sur les « arrhes de l'Esprit ». Aujourd'hui, il m'invite chez lui pour étudier un passage obscur de la Bible. Quand nous franchissons la porte de l'appartement, son pitbull se jette sur moi et arrache mon bracelet de montre. Certaines personnes m'avaient mis en garde contre les dangers de l'œcuménisme. J'aurais dû prendre le risque plus au sérieux !

En tout cas, notre bon voisinage porte des fruits d'unité : le plus jeune des fils d'Anton vient régulièrement prier avec nous. Notre liturgie le comble au point qu'un jour il déclare à sa mère qu'il veut devenir moine ! Il m'appelle même « papa ». Je lui dis que « tonton » suffira. L'œcuménisme, comme l'écologie, dépend de décisions internationales mais commence par la vie quotidienne de chacun d'entre nous.

Cette vie quotidienne n'est pas toujours simple ici. Le 29 octobre, notre amie Maria démissionne de son travail dans le secteur hôtelier. Elle en a assez. Elle veut créer sa propre entreprise [132]. Elle vient chaque mois prier avec nous en mémoire de son fils mort à dix-sept ans dans un accident. Ce décès l'a transformée et l'a conduite vers Dieu. Maria a fait embaucher plusieurs habitantes de Saint-Paul dans l'entreprise où elle travaillait. Mais les vols récurrents de matériel et les retards répétés dans le versement des salaires ont ruiné ses efforts généreux : tout le monde a terminé au chômage.

Deux mois plus tard, Karim et moi prenons l'autobus pour

---

(132) Elle a brillamment réussi depuis.

rendre visite à une amie atteinte de sclérose en plaque. C'est son anniversaire. Il est 20 h 15. Il fait nuit. Soudain, la vitre latérale de notre véhicule vole en éclats. Une pierre a été lancée depuis le trottoir. Un passager est touché à la tête. L'homme est franco-algérien. Après avoir essuyé avec son mouchoir le sang qui coule sur sa tempe, il appelle son patron depuis son téléphone portable : « *Je serai en retard : notre bus vient d'être attaqué.* »

Le lendemain, quand ma voisine de pallier apprend notre mésaventure, elle est outrée : « *Y'a pu d'respect!* » Elle me montre les graffitis sur les murs de certains immeubles, évoque le trafic de drogue dans le secteur, les vols de voitures et de mobylettes, le bruit dans les cages d'escaliers, la musique tonitruante chez la famille Untel, les feux du mois de juin, les pétards de juillet, les injures, les bagarres ici et à l'école, les cambriolages et même les meurtres. « *Les parents s'en foutent* », me dit-elle. « *On laisse trop faire.* » Tout cela, je l'éprouve dans ma chair, et je cherche à comprendre.

Il est vrai que l'éducation « à l'africaine », c'est-à-dire la solidarité entre tous les adultes du village quand il s'agit de reprendre un jeune, fonctionne difficilement. « *Ici, c'est pas comme à Mayotte* », me dit Aïcha. De fait, il n'y a ni « conseil des anciens » ni maire élu par notre communauté de locataires. Le village français de trois cent cinquante habitants a son conseil municipal, mais la cité HLM de neuf cents locataires ne possède aucune représentation politique équivalente.

Le respect des lieux n'est pas encouragé parce qu'ils sont gérés par des autorités lointaines – société des HLM, mairie, préfecture – qui n'ont qu'un lien très faible et très flou avec les habitants, à travers l'association des locataires, par exemple. Les logements sont attribués selon des critères obscurs, sans réelle concertation avec ceux qui vivent sur place, par des personnes qui habitent ailleurs – plutôt dans des villas, dans un autre contexte social. Heureusement, certains résistent : tous les matins, Jeannot, jeune retraité, ramasse les détritus, la ferraille et les planches laissés à l'abandon. Il veut que la cité soit propre : « *Moi, j'aime mon quartier!* »

Le manque de respect [133] tient aussi au fait que les habitants qui composent la cité viennent de milieux culturels différents. Faute de parler la même langue, les adultes éprouvent des difficultés à communiquer entre eux : l'arabe n'est pas le tamazight ni le turc, et encore moins le comorien! La foi n'a pas non plus le rôle unificateur qu'on lui attribue parfois : les salles de prière sont soit algériennes, soit tunisiennes, soit comoriennes.

Les enfants, quant à eux, parlent tous le français appris à l'école, ce qui crée un fossé supplémentaire entre les générations. « *J'ai la honte d'aller voir les professeurs* », me confie Safina. Comme beaucoup, ma voisine ne connaît pas l'institution scolaire et ne parle pas bien notre langue. Je lui explique les informations contenues dans le bulletin de sa fille. Elle reprend confiance en elle. La Lumière fait son chemin à travers les fissures d'une société qui sera toujours lézardée. Dieu se manifeste là où le grain de sable empêche la belle mécanique du monde de tourner en rond sur lui-même : « *Les pauvres, vous les aurez toujours avec vous* [134] », prévenait Jésus.

Pour combattre à la fois les logiques d'éclatement tribal et la culture individualiste occidentale qui menacent notre cité, nous essayons de construire une communauté en vue de la

---

(133) Cf. Henry QUINSON, « Y'a pu d'respect! », *Communio,* printemps 2006.
(134) Jn 12,8.

« communion » (*koïnonia*, en grec) [135]. La communion, depuis toujours, est la forme de vie du monachisme : tous les textes fondateurs, de Pacôme à Basile, jusqu'à Augustin ou la Règle de Benoît, s'inspirent de la communion rapportée dans les Actes des Apôtres : « *La multitude de ceux qui avaient adhéré à la foi avait un seul cœur et une seule âme* [136]. »

Communion par les humbles services domestiques (cuisine, ménage), communion dans les épreuves et le pardon échangé, communion de prière fraternelle et d'accueil des voisins, dans la durée et en un même lieu. « *Le monastère n'est pas un* conventus *dans lequel on retourne après la* missio *(François d'Assise), ce n'est pas une* statio *(Ignace de Loyola), ce n'est pas une* residentia *: c'est le lieu dans lequel se vit et se manifeste la communauté comme suite du Christ* [137] », précise Enzo Bianchi.

D'où le choix d'emplois à mi-temps pour habiter vraiment notre quartier et le célibat pour une authentique hospitalité communautaire : « *C'est beau*, jubile Shane Claiborne, *quand les pauvres ne sont plus un programme d'action missionnaire mais deviennent d'authentiques amis et membres de la famille avec qui on rit, pleure, rêve et lutte* [138]. »

21 h 30. Il fait nuit. C'est l'hiver. Pas un chat dans la cité Corot que je traverse seul après une longue réunion de parents au lycée. Trois jeunes me demandent une cigarette. Je leur réponds que je ne fume pas. Ils s'approchent et commencent

---

(135) Jon STOCK, *School(s) for Conversion : 12 Marks of a New Monasticism*, op. cit., p. 126.
(136) Ac 4,32.
(137) Enzo BIANCHI, « Le monachisme, héritage du passé et ouverture au futur », Congrès d'études monastiques du Pontificio Ateneo Sant'Anselmo, Rome, 1er juin 2002.
(138) Shane CLAIBORNE, *The Irresistible Revolution*, Zondervan 2006, p. 128.

à tourner autour de moi. Une main se glisse dans ma poche. Que faire? Au lieu de me défendre physiquement, je lance aux trois compères : « *Vous n'êtes pas les copains de Sofien ?* » Visages reconnus, ils cessent aussitôt leur tentative de pickpocket : « *On rigolait…* »

Pour désarmer la violence, il faudrait dire bonjour plus souvent, aimer les gens, les connaître, communier. Ces exigences évangéliques que je vis si mal me dérangent plus que l'incident qui les rappelle à mon bon souvenir. Nous luttons contre une montagne de problèmes politiques, économiques, culturels et sociaux. Si j'étais resté à la banque, si j'avais pris des responsabilités politiques, j'aurais eu plus de moyens financiers.

Cependant, « *la tragédie de l'Église,* observe Shane Claiborne, *n'est pas que les chrétiens riches se désintéressent du sort des pauvres mais qu'ils ne* connaissent *pas les pauvres* [139]. » Jésus ne donnait pas d'argent : il rencontrait ceux qui croisaient sa route. Seules ces rencontres peuvent, comme une graine, percer les carapaces : « *Le Royaume de Dieu est la plus petite de toutes les semences du monde ; mais quand on l'a semée, elle monte et devient plus grande que toutes les plantes potagères* [140]. »

Les désordres sociaux sont profonds. Mais c'est par là aussi que la conscience accède à la Lumière. Mystère de la Croix : la rédemption naît d'un cadavre ! « *Scandale pour les Juifs et folie pour les païens !* [141] » Pourtant, cette métamorphose pascale soulève par étapes l'humanité entière. Au cœur de la seconde guerre mondiale, le 15 novembre 1942, Pierre Teilhard de Chardin prophétisait :

« *La crise que nous traversons est de "signe positif". Ses caractères*

---

(139) *Ibid.,* p. 113.
(140) Mc 4,30-32.
(141) 1 Co 1,23.

sont ceux, non d'une désagrégation, mais d'une naissance. Ne nous effrayons donc pas de ce qui à première vue nous semblerait être une discorde finale et universelle. Ce que nous subissons n'est que le prix, l'annonce, la phase préliminaire de notre unanimité [142]. »

(142) Pierre TEILHARD DE CHARDIN, « La place de l'homme dans l'univers. Réflexions sur la complexité », *Œuvres complètes,* tome III, Seuil 1957, p. 326.

BOUDOUAOU

Le 30 novembre 2000, mon accompagnateur parisien, Hervé Renaudin, est nommé évêque de Pontoise. Trois jours plus tard, je reçois un coup de fil de Jean-Michel Beulin, que j'ai tenu au courant de la fondation de notre Fraternité. Il connaissait Hervé et nous nous réjouissons ensemble pour l'Église. Il m'annonce ensuite qu'il envisage de quitter l'Ordre cistercien pour vivre une vie monastique plus simple, si possible à Alger. Il y réside déjà depuis un an avec les cinq autres moines installés dans les anciens appartements du cardinal Duval.

Ils devaient retourner au monastère de Tibhirine, déserté depuis 1996, mais ce projet a tourné court : la surveillance militaire était trop assujettissante. Elle aurait empêché de vivre la fraternité de voisinage voulue par pères Amédée et Jean-Pierre, les deux rescapés, dans le sillage de leurs frères assassinés. Jean-Michel doit rencontrer l'archevêque d'Alger, Henri Teissier. En attendant, il souhaite nous rejoindre dès janvier à Saint-Paul pour vivre avec nous pendant quelques mois et, le cas échéant, devenir membre de la Fraternité. Le lien avec nos frères de Tibhirine se confirme.

Le jeudi 4 janvier 2001, je vais chercher Jean-Michel à l'aéroport de Marignane. Nous sommes heureux de nous retrouver après tant d'années. Très vite, il m'explique qu'il tient à retourner en Algérie dès que cela s'avérera possible. La principale difficulté sera la solitude. Car nous ne pouvons pas, pour l'instant, y aller avec lui : nous devons d'abord consolider notre présence à Saint-Paul.

À Marseille, Jean-Michel suit des cours d'arabe avec le père Gabriel Deville. Il participe à l'accompagnement scolaire et tisse des liens durables avec de nombreux voisins. Mais dès le 25 avril, il prend le bateau pour Alger. Nous accueillons alors Selvam, un étudiant indien de vingt-deux ans, originaire de Pondichéry. Au mois de juillet, alors que je joue au scrabble avec des jeunes du quartier, Jean-Michel nous annonce au téléphone qu'il souhaite poursuivre son chemin en communion avec nous. La Fraternité Saint Paul compte désormais un troisième membre et une implantation en gestation en Algérie.

À Marseille, c'est la rentrée scolaire. Le mardi 11 septembre 2001, je reviens de mes cours à Sainte-Marie Blancarde. Au passage, je m'arrête chez une famille de la cité Corot, juste à côté de Saint-Paul. Je passe un peu de temps chez eux. La télévision est, comme toujours, à plein tube. Après avoir pris un café et discuté avec Gaby et ses enfants, je rentre.

À peine arrivé, le téléphone sonne. C'est mon frère Jacques. Sa voix est nerveuse : « *Regarde la télévision ! Il se passe quelque chose de fou.* » Il raccroche. J'allume mon poste et tombe sur des images incroyables : une des tours du *World Trade Center* est en feu. J'écoute les commentaires de CNN. La situation est gravissime. Plusieurs avions ont été détournés et le

Pentagone a été touché. Les tours s'effondrent sous mes yeux incrédules.

J'essaie de joindre ma famille à New York : les lignes sont surchargées. J'envoie un courriel à tout le monde. Trois quarts d'heures plus tard, je suis rassuré : personne n'est touché. Christopher, qui travaille dans l'une des deux tours, est en congé avec sa fille Isabella, née il y a deux semaines. Quatorze de ses collègues sont portés disparus. Je suis en état de choc. C'est la première fois que les États-Unis sont attaqués sur leur propre sol. Que faire ?

Quelques jours plus tard, j'écris à Jean-Michel :

« Plus que jamais, je constate que le choix du Christ m'a entraîné sur le chemin de la vie et non sur le chemin de la mort. Certains se font martyrs en tuant les autres et en accaparant l'attention des foules pour la gloire d'un dieu tribal. Moi, j'essaie de donner ma vie chaque jour dans un martyre (témoignage) humble et caché qui donne à l'étranger, au pauvre, au jeune mal assuré, un coup de pouce presque invisible.

« C'est comme l'écho de toutes ces révélations du Dieu universel qui, dans les siècles, s'est fait connaître à un peuple peu puissant et "lent à croire". Je suis moi-même un vrai fils d'Israël "à la nuque raide" mais néanmoins choisi ! »

Le 4 novembre, Jean-Michel m'annonce que notre fondation en Algérie sera finalement à Boudouaou, dans la grande banlieue d'Alger. Il donne déjà des cours à des jeunes du quartier grâce à un petit réseau de connaissances, héritage du prêtre qui a vécu là-bas jusqu'à l'été dernier. Avec des amis algériens, il aménage son logement pour en faire un lieu d'accueil. Henri Teissier trouve que l'implantation est pertinente, car Boudouaou se trouve à seulement trente-cinq kilomètres à l'est d'Alger.

Le policier qui s'occupe des démarches administratives de

Jean-Michel pour son emménagement était à Médéa en 1996 lors de l'enlèvement et de la mort des frères de Tibhirine. Voilà qui simplifie et accélère l'obtention des autorisations requises. Nos frères de l'Atlas semblent veiller sur nous à chaque étape décisive. Du côté ecclésial, je reçois une lettre officielle de l'archevêque d'Alger : « *Avec l'accord de son supérieur de la Fraternité Saint Paul, Jean-Michel Beulin assurera une présence évangélique de service à Boudouaou.* »

De notre côté, les HLM nous demandent une recommandation de l'archevêque de Marseille pour le nouveau bail de notre appartement du H1. C'est l'occasion pour le cardinal Panafieu de déclarer par écrit, en date du 2 novembre 2001, que la Fraternité Saint Paul est une « *communauté catholique travaillant en lien étroit avec lui et sous sa responsabilité* ». Peut-être devons-nous cette reconnaissance officielle aux attentats du 11 septembre, qui ont rapproché les autorités républicaines laïques de l'Église catholique ? L'islam et les groupes terroristes qui s'en réclament ne sont-ils pas en train de provoquer une redéfinition du rapport entre les chrétiens et la société française ?

« *Les moines du VIᵉ siècle qui, dans leurs monastères, aidaient leurs voisins à être heureux malgré les rafales de guerre, d'invasions et de pillage – partie intégrante de l'état social d'alors – assuraient un authentique service social dont le nôtre peut, sans déchoir, se réclamer* », affirmait déjà Madeleine Delbrêl en 1938 [143]. Cette analyse semble partagée par certains responsables de la société civile française aujourd'hui.

À Marseille, à l'occasion d'une conférence sur l'Émir Abdelkader, Henri Teissier nous remercie pour la présence de Jean-Michel à Boudouaou. Il se félicite qu'il rejoigne le *Ribât es-Salâm*,

---

(143) Madeleine Delbrêl, *Profession assistante sociale*, op. cit., p. 120.

groupe de rencontre islamo-chrétien auquel participaient trois frères de Tibhirine. Le 24 mars, Jean-Michel me demande si je ne pourrais pas traduire un livre sur les moines de l'Atlas :

« Hier, Gilles Nicolas (économe diocésain) m'a parlé d'un certain John Kiser, qui vient d'écrire un livre sur Tibhirine. Selon Gilles, c'est le meilleur paru sur les frères : bien détaillé, précis. Il m'a exprimé son souhait de le voir traduit et publié en France. J'ai aussitôt pensé à toi. Ce pourrait être une belle opportunité pour renforcer les liens entre notre fraternité et l'Église d'Algérie. »

Le téléphone et Internet n'abolissent pas les distances mais les réduisent sensiblement. Depuis notre cité HLM marseillaise nous avons accès à une véritable bibliothèque mondiale, plus riche que celle des grands monastères traditionnels. Les entretiens spirituels peuvent également réunir deux personnes vivant à des centaines ou des milliers de kilomètres. La Méditerranée est devenue un lac que l'on traverse tous les jours par avion ou par satellite.

Le Ciel réduit les distances sur la terre : cette réalité est autant spirituelle que matérielle. La communion dans le Christ emprunte ces nouvelles voies technologiques : *« Par toute la terre s'en va leur message, et la bonne nouvelle aux limites du monde. »* Cette antienne que nous chantons douze fois dans l'année en mémoire des apôtres s'incarne aujourd'hui de façon toujours plus éclatante. Le nombre d'internautes sur la terre est passé de seize millions en 1995 à plus d'un milliard en 2006. Avec plus de cinq cents milliards de documents sur « la toile » et au moins huit millions de pages Web créées chaque jour, l'information circule jusqu'aux confins de la planète.

La Bonne Nouvelle se répand dans les cœurs des pêcheurs « en ligne ». Conformément aux prophéties de Pierre Teilhard de Chardin, apparaît *« une collectivité harmonisée des consciences équivalente à une sorte de super-conscience. La Terre non seulement se couvrant de grains de Pensée par myriades, mais s'enveloppant d'une seule enveloppe pensante, jusqu'à ne plus former qu'un seul vaste Grain de pensée, à l'échelle sidérale. La pluralité des réflexions individuelles se groupant et se renforçant dans l'acte d'une seule Réflexion unanime [144] ».*

Les frontières culturelles et religieuses sont de plus en plus poreuses : je reçois régulièrement des e-mails et des SMS d'amis algériens. Jean-Michel n'est pas loin et nos conversations électroniques se poursuivent :

« Tes courriers donnent envie de franchir la Méditerranée, mais, après le dîner de cette semaine à Saint-Paul avec Benoît Rivière, notre évêque auxiliaire, nous sommes convaincus qu'il faut encore durer à Marseille... ce qui n'exclut pas une visite fraternelle! Ici, nous avons vécu la maladie d'un paroissien et l'accompagnement de sa femme musulmane, qui est une amie. J'ai passé hier mon après-midi dans un snack à consoler une famille endeuillée. On m'a demandé d'organiser une rencontre avec les franciscains du Bronx pour les communautés des Quartiers-Nord. Il m'a semblé qu'ils avaient un bon sens des priorités : prière, vie fraternelle, apostolat, dans l'ordre.

« Nous sommes entourés de familles très simples pour qui la pratique religieuse est surtout liée aux événements de la vie : elles n'ont pas de réflexion théologique développée. L'émotionnel est très important ainsi que la communication non verbale. Le charismatique l'emporte sur le traditionnel ou le légal dans un univers déstructuré.

« Or je crois en l'implication de la raison dans l'acte de foi,

---

(144) Pierre TEILHARD DE CHARDIN, *Le Phénomène humain*, Seuil 1955, p. 252.

d'espérance et de charité. Je fais donc le travail de lecture des évan-
giles à la place de mes voisins pour le distiller en paroles et en gestes
adaptés à chacun. Chez les pauvres, la fine pointe de l'être, l'âme
ou le "cœur", est souvent touchée par la grâce de manière très simple.
Ils obligent à l'essentiel : la pratique concrète de l'amour fraternel.
De ce point de vue, ils sont nos maîtres. »

NOUS IRONS TOUS AU PARADIS

Ce mardi 2 avril 2002 à 19 heures, Sophie, professeur de lettres classiques, nous quitte au terme de sa soirée de tutorat dans notre appartement. Deux minutes plus tard, elle réapparaît, catastrophée : *« Je ne peux pas repartir : j'ai oublié les clés dans ma voiture! Comment faire? »* Nous la rassurons : *« Ici, ce genre de problème est très vite résolu. Ne t'inquiète pas! »* Aussitôt, nous expliquons la situation à l'un de nos jeunes voisins. Il nous demande la marque, le modèle et l'année de fabrication du véhicule. Puis il échange un regard entendu avec l'un de ses amis. En deux minutes, la voiture est ouverte par le coffre, sans même fracturer la serrure. Sophie nous regarde éberluée. Nous remercions nos dépanneurs. Ils sont heureux d'avoir rendu service mais restent modestes : *« Cette caisse-là, elle trompe dégun! »* (Traduction : « Cette voiture ne trompe personne! »).

Une semaine plus tard, nous sommes chez une famille gitane. Nous lisons l'évangile où le publicain Zachée explique qu'il donne aux pauvres la moitié de ses biens [145]. Après la lecture, le père de famille prend la parole solennellement devant tous ses enfants : « *On pourrait écouter la parole de Dieu pendant des heures. Moi, je suis comme ce monsieur : je suis un voleur. Mais je ne vole que les riches et quand j'ai trop je donne aux pauvres.* »

L'Évangile n'est pas amoral : il nous invite à changer nos comportements. Mais l'Amour est toujours au-delà de nos conceptions étroites du bien et du mal. Il bouscule les normes éthiques préconçues en fonction des contextes et des personnes. Il sait espérer et patienter [146]. Nous insistons sur l'éducation : apprendre à lire et à écrire permet de sortir du système D. Si tout le monde vole des voitures, on ne pourra plus en fabriquer. Mais il nous revient aussi de fabriquer de la promotion humaine et de la mobilité sociale.

Encore faut-t-il trouver un emploi! Dans la France du troisième millénaire, ce n'est pas toujours simple. Aujourd'hui, Katia revient de son entretien d'embauche. Je l'avais aidée à rédiger son CV et sa lettre de motivation. Je lui demande comment son rendez-vous s'est passé. « *Très bien,* me répond-elle. *Mais j'ai pas assez de chômage.* »

Ce n'est pas la première fois que j'entends cette phrase absurde. À cause des contrats spécifiques en tous genres inventés par les têtes pensantes de la République (qui jouissent tous de la sécurité de l'emploi), les entreprises embauchent prioritairement ceux qui leur font bénéficier de subventions, comme les chômeurs de longue durée. C'est ce que les experts appellent les « effets d'aubaine ». Le résultat est ubuesque : il ne faut pas seulement

---

(145) Lc 19,1-10.
(146) Cf. 1 Co 13,4-7.

une formation et de l'expérience pour trouver un emploi, il faut aussi avoir été chômeur suffisamment longtemps !

En 1941, Madeleine Delbrêl écrivait déjà : « *Le droit au travail a été remplacé par le droit de manger. D'un côté les rentes sans travail et de l'autre les allocations sans travail. Peu à peu, le respect que l'on donnait à l'homme capable de bien travailler a dévié vers celui qui peut bien vivre en travaillant peu* [147]. »

Aujourd'hui un rmiste qui travaille au noir s'en sort deux fois mieux qu'un smicard qui déclare ses revenus et paie ses transports [148]. Le patrimoine immobilier représente au moins deux tiers de la richesse des ménages et ceux qui vivent des revenus du capital peuvent équilibrer les risques de leur portefeuille. Les salariés pauvres, au contraire, ne gagnent pas assez d'argent pour épargner et dépendent de la santé d'entreprises de plus en plus spécialisées. L'impossibilité d'accéder à la propriété et l'asymétrie de la précarité génèrent un séparatisme social potentiellement explosif.

Quand l'occasion se présente, nous alertons les pouvoirs publics sur ces dysfonctionnements. Mais notre rôle dépasse le travail social ou la proposition de réformes économiques. Nous sommes avant tout une communauté religieuse. Fin août 2002, Jean Lahondes nous le rappelle à sa manière en demandant comment nous avons résolu « *la question de l'engagement* ».

Dans les monastères, il y a les « vœux solennels » qui lient pour toujours celui qui les prononce à sa communauté. À Tamié, un vieux frère m'avait confié humblement : « *Le jour des vœux,*

---

(147) Madeleine Delbrêl, « Veillée d'armes, aux travailleuses sociales », *Profession assistante sociale,* op. cit., p. 244.
(148) « En 2005, un adulte au smic vivant seul avec un enfant de moins de 14 ans, disposait de 782 euros par mois pour vivre » (*Le Monde,* 15 novembre 2007).

c'est magnifique : on donne sa vie à Dieu à la louche; mais après on la reprend chaque jour à la petite cuillère! » Sans nous payer de mots, nous distinguons trois dimensions dans « l'engagement ».

D'abord, il y a l'engagement devant Dieu, qui est une décision strictement personnelle : « *On n'imposera pas les mains à une vierge, mais sa décision seule la fait vierge* », précisent les *Traditions apostoliques*. Ensuite, il y a l'engagement des uns envers les autres : les vœux monastiques, comme le mariage, sont par nature communautaires. Enfin, il y a la communion avec l'évêque. Il ne s'agit pas de lui prêter serment, car il ne reçoit pas le consentement des époux ou le vœu des moines. Mais il doit approuver notre démarche.

Le 5 septembre, j'écris, au nom de tous, à l'évêque de Marseille : « *En conclusion de notre "chapitre général", nous avons décidé de nous engager à suivre le Christ ensemble en essayant de rester fidèles aux appels particuliers de l'Esprit dans le cadre de nos sept piliers. Notre engagement aura lieu en présence du père Jean Lahondes, en notre petit oratoire, durant la prière du soir rassemblant notre communauté au milieu de nos voisins.* »

Le vendredi 6 septembre, les vêpres commencent par un temps d'oraison, suivi de l'ouverture, de l'hymne et de trois psaumes. Jean lit, à notre demande, l'Évangile. Puis, je prononce ces mots :

« *Seigneur Dieu, aujourd'hui, nous te présentons, et nous présentons les uns aux autres, le désir de nous engager à suivre le Christ ensemble, en essayant de rester fidèles aux appels particuliers de l'Esprit dans le cadre des sept piliers de la Fraternité Saint Paul.* »

Karim poursuit : « *Seigneur Christ, nous nous engageons à te suivre dans le célibat, dans la fidélité à la prière, en habitant un logement ordinaire en quartier urbain pauvre, en vivant de notre travail à temps partiel, en accueillant avec joie nos voisins, en* restant ouverts à l'entraide et au partage, et en participant à la vie paroissiale et diocésaine dans nos Églises locales respectives. »

Jean-Michel, qui revient à Marseille au moins une fois par an, conclut : « *Esprit d'Amour, nous nous engageons aujourd'hui au milieu de nos voisins les plus proches, et en communion avec ceux qui sont loin. Nous voulons leur donner notre vie comme le Christ l'a fait pour nous, lui, le Messie des pauvres, Verbe de Dieu venu habiter parmi nous, parfaite révélation de l'amour du Père pour tout homme.* »

La célébration s'achève. On sonne à la porte. Une de nos petites voisines vient rendre un livre qu'elle a emprunté dans notre bibliothèque. Pendant que j'en prends note dans le classeur prévu à cet effet, elle raconte à Karim la dernière discussion familiale.

– *Hier, on voulait savoir si vous pouvez aller au paradis.*

– *Pourquoi on n'irait pas au paradis ?*

– *Parce que vous êtes chrétiens.*

– *Alors, on n'a aucune chance d'y aller au paradis ?*

– *Mon père, il a dit que comme vous faites des bonnes choses, c'est possible que oui.*

– *Et alors, qu'est-ce que tu en penses ?*

– *Bah, je suis contente pour vous !*

TREMBLEMENT DE TERRE

Il a déjà roué son oncle de coups : il est couvert de plaies. Ce jeudi 12 septembre 2002, je dois séparer Fred de sa mère, qu'il menace de frapper. Il continue de venir prier avec nous le soir, mais il est parfois sous l'influence de la drogue. Ce n'est pas drôle d'être au milieu de ces disputes. Car tout peut arriver : Fred a déjà tué un voisin à l'arme blanche. Il le regrette profondément et porte cet acte terrible comme une blessure qui cicatrise mal. Nous l'aimons d'amitié et essayons régulièrement de l'écouter autour d'une tasse de café.

C'est dur pour un père de famille d'être interdit de travail : les allocations de la COTOREP [149] – destinées à ceux qu'un handicap condamne à des emplois aménagés ou à l'inactivité totale – ne font malheureusement pas le bonheur de leurs bénéficiaires. Car l'homme ne se nourrit pas seulement de pain, mais de la parole miséricordieuse de Dieu [150] et d'une vie sociale normale.

---

(149) Commission technique d'orientation et de reclassement professionnel.
(150) Cf. Mt 4,4.

179

Grâce à la première, Fred vit un peu moins mal la privation de la seconde.

La vie dans notre quartier, c'est ce compagnonnage dans la douleur. Mais c'est aussi les fêtes. Notre Noël est magnifique : messe paroissiale multicolore, dîner avec Jean-Bernard dans son fauteuil roulant, déjeuner avec un étudiant malien et une voisine endeuillée, et visite impromptue d'un ex-drogué qui ne m'avait pas revu depuis sept ans. Il est accompagné d'une Ghanéenne sans travail, tout juste sortie de la prostitution. La journée se termine par la prière, pauvre et fraternelle. Cette prière fait mémoire, le 18 janvier 2003, d'Hervé Renaudin, évêque de Pontoise. Je le savais gravement malade et lui avais écrit peu avant son décès. Il est avec nous autrement, plus proche que jamais.

En février, nous sommes heureux pour Jean-Michel, qui est rejoint à Boudouaou par un jeune père blanc italien, Paolo. Karim leur rend visite du 11 au 22 avril. À son retour, il me montre les photos de la maison et du jardin : Jean-Michel a remarquablement aménagé les lieux ; il en a fait un espace d'accueil apprécié par un nombre grandissant de ses voisins. Mais la vie peut basculer à tout instant : le 21 mai, ses parents nous téléphonent. Ils sont inquiets : un tremblement de terre vient de se produire en Algérie ; l'épicentre se situe à Boumerdès, à quelques kilomètres de Boudouaou. Impossible de joindre Jean-Michel.

Heureusement, le lendemain, je reçois un courriel d'Alger :

« *Chers frères, Boudouaou étant coupé du monde, je suis parti de suite rendre compte à P. Teissier de la catastrophe qui nous a atteints. La maison s'est quasiment effondrée alors que j'étais en communication téléphonique. C'est un véritable miracle si j'ai pu m'en sortir. Le mur du jardin était par terre, tout le monde courait, des cris terribles, des ruines partout...*

« *Aussitôt, j'ai rejoint un groupe de personnes qui commençait à déblayer. Nous avons retrouvé une petite fille de quelques années, morte déjà… J'ai rejoint un quartier populaire où j'ai plusieurs de mes amis : tous vont bien ainsi que leur famille. Nous avons passé la nuit dehors avec des milliers de personnes. Impossible de dormir, d'autant que régulièrement les secousses reprenaient, moins violentes.*

« *Ce matin, je me suis risqué à entrer dans les ruines de la maison pour récupérer mes papiers. L'oratoire donnait dans le vide, mais j'ai pu prendre le ciboire. Puis je suis allé de nouveau dans les rues. C'est horrible : des immeubles de trois étages se retrouvent au rez-de-chaussée… Priez pour nous, et informez mes parents que je suis vivant, grâce à Dieu !* »

Le coût humain du séisme est terrible : deux milliers de morts au moins, une dizaine de milliers de blessés et une centaine de milliers de sans-abri. Le malheur a frappé en quelques secondes. La date n'est pas anodine : c'est le septième anniversaire, jour pour jour, de l'assassinat des moines de Tibhirine. Jean-Michel aurait dû être dans sa chambre à cette heure-là. Mais le coup de fil d'un villageois de Tibhirine précisément (!) l'a fait quitter la pièce quelques minutes avant qu'elle ne disparaisse sous les décombres. Sans cet appel téléphonique providentiel, il aurait été tué : le toit est tombé sur son lit ; il ne reste plus qu'un trou béant à la place du plancher, descendu d'un étage.

Malheureusement, les services spécialisés mettent beaucoup de temps pour arriver et organiser les campagnes de sauvetage. Débarquent des hordes d'islamistes, en groupes constitués. La blancheur de leurs habits contraste avec les vêtements poussié- reux et pitoyables alentour. Ils continuent à rôder les jours sui- vants, venant d'on ne sait où, offrant argent, denrées, hidjab et « bonnes paroles » sur le sens de l'événement : Dieu est la cause première et l'auteur de cette tragédie.

« *Heureusement des voix se font entendre pour contrecarrer ces inepties insupportables* », commente Jean-Michel. Paolo le rejoint rapidement. Une famille, dont l'appartement n'a subi aucun dégât, les accueille tous les deux. Ainsi, chaque jour, Paolo et Jean-Michel se retrouvent pour prier l'office chez leurs voisins musulmans.

Un jour, une mère de famille exprime son étonnement : pour la première fois, les relations de voisinage sont devenues meilleures.

« *C'est vrai qu'il faut parfois de véritables tremblements de terre pour que s'ouvrent enfin des portes,* admet Jean-Michel. *Et celles du cœur (ou de la conscience) sont loin d'être les plus faciles à ouvrir! Or, c'est cela que nous avons vécu à travers tous ces gestes d'entraide qui donnent du sens à une situation qui n'en avait pas : nous sommes devenus soudain plus humains.*

« *Et c'est là aussi qu'il m'a été donné de reconnaître cette Présence de Dieu que certains veulent absolument tenir pour cause première de ce phénomène naturel. Dieu était non pas là, mais bien dans ces mains qui cherchaient dans les gravats les survivants et ceux que la mort avait déjà emportés; Dieu était là dans ces jeunes bénévoles engagés dans les secours. Dieu était présent dans ces convois humanitaires qui affluaient de partout; Dieu était présent mystérieusement dans le visage d'Amina et de tous ceux et celles qui nous ont quittés; Dieu était bien là dans le jeu de cette jeune maman, dans le camp de réfugiés, faisant rire son petit garçon, tous deux assis, de bon matin, sur une mer de couvertures sous lesquels dormaient encore des dizaines de personnes après une nuit troublée par une violente secousse... Le Dieu de la vie était là et non ailleurs!* »

Le 31 mai 2003, Jean-Michel nous donne les dernières nouvelles de cette Algérie éprouvée :

« *Hier encore, j'étais à Boudouaou pour répartir des dons en* argent que l'on m'avait confiés pour les familles sinistrées. Pour l'heure, les sœurs de Mère Teresa m'ont hébergé. Demain, je partirai à Tizi-Ouzou pour quelques jours de repos jusqu'au 6 juin où nous aurons, à Alger, notre journée diocésaine. Après, je ne sais pas encore. Je désire demeurer chez moi, c'est-à-dire à Boudouaou parmi les familles avec lesquelles je suis resté, sous des tentes de fortune, toute la semaine qui a suivi le séisme du 21 mai. Je sens que ma place est là, c'est tout. »

CHEMIN D'INCARNATION

Ce soir, Fred vient pleurer dans mes bras. Un jeune voisin a cherché à profiter de sa fragilité : il voulait lui vendre de la cocaïne. En guise de réponse, il lui a envoyé un coup de poing dans la figure. « *J'étais mieux en prison* », me confie-t-il en sanglotant. Les barreaux cassés de l'échelle sociale sont plus terribles que les barreaux en fer du pénitencier. Je lui propose de rendre visite à Jean-Bernard Beghetti pour tromper la tristesse. Puis je prends mon repas avec lui chez sa mère. Il est notre chauffeur pour la messe de la Pentecôte : je suis heureux d'être entouré de Fred et de Jean-Ber pour ce jour saint. C'est là que je veux être. C'est ma vocation ici, mon chemin d'Incarnation.

Le 15 juin 2003, Jean-Michel me confirme son désir de rester à Boudouaou malgré la destruction de sa maison. Du 18 juin au 2 juillet, il participe à une colonie pour plus de cent trente enfants victimes du séisme, dont beaucoup sont orphelins, à la Bouzaréa, sur les hauteurs d'Alger. Le travail pour reconstruire l'avenir est immense, tant au plan humain que matériel. Cet autre chemin d'Incarnation est rude, mais il est juste, lui aussi.

Nos vocations sont étranges mais saluées par certaines de nos vieilles connaissances grâce à Internet. Le 25 juin, je reçois un courriel de frère Antoine, mon ancien maître des novices de Tamié : « *Par le site de la Fraternité, je découvre plusieurs pages d'histoire de l'Église. Je suis émerveillé par tout ce chemin parcouru depuis Tamié. Je suis très heureux de te retrouver sur les photos avec Jean-Bernard et Jean-Michel. Vous êtes épanouis et certainement vos voies sont bonnes. Les sept piliers de la Fraternité sonnent juste. Je retrouve ton style concret et actuel.* »

Ces sept piliers ne suffisent pas à notre curé, Jean Lahondes. Fraternellement, il me suggère de rédiger une « règle » un peu plus élaborée. En cette fin d'année scolaire, je me mets à l'ouvrage. Comme Antoine Chevrier, fondateur de l'Institut du Prado, je suis pourtant un peu sceptique :

« *Notre Seigneur Jésus Christ appelle des hommes auxquels il communique sa vie évangélique. Il ne leur donne pas d'autre règlement que celui-ci : "Suis-moi. Fais comme moi. Je suis ton règlement de vie." Pendant les trois ans qu'il a passés avec eux pour les former à la vie évangélique, nous ne le voyons pas du tout s'appliquer à leur donner des règles disciplinaires* [151]. »

Mais je m'aperçois rapidement que ce travail est un excellent exercice de relecture. En outre, il prépare l'accueil de ceux qui pourraient nous rejoindre. Car il faudra pouvoir dire qui nous sommes dans notre passé et notre présent si nous voulons continuer dans le futur.

À notre réunion communautaire annuelle, Jean-Michel propose d'appeler ce document « Chemin d'Incarnation ». En moins de soixante-dix pages, nous essayons de résumer de manière très pratique notre vie monastique en cité, à la manière

---

(151) Antoine CHEVRIER, *Le Véritable Disciple.*

de la Règle de Benoît, éclairée par les écrits d'auteurs contemporains comme Madeleine Delbrêl. Dans l'avant-propos, je précise que nous avions toujours remis ce travail à plus tard pour au moins trois raisons :

« *Tout d'abord, il nous paraissait présomptueux d'essayer de décrire une forme de vie encore naissante. Ensuite, la communauté ne regroupait que ses deux frères fondateurs, ce qui ajoutait au caractère prétentieux de l'exercice. Enfin, nous avons toujours souhaité nous limiter à une formulation de nos choix la plus simple possible.*

« *Nous l'avons assez vite consignée par écrit sous la forme d'une liste descriptive que nous avons appelée "Les sept piliers". Ce document d'une page nous suffisait à l'époque et nous suffit toujours. Ne possédant ni spiritualité particulière ni statuts canoniques élaborés, notre bref document permettait de répondre de manière très prosaïque à la question de notre identité en décrivant concrètement notre forme de vie.* »

Depuis cette époque des commencements, rien de nos convictions essentielles n'a changé :

« *Le critère ultime de notre projet demeure l'Amour, mot dont nous allons chaque jour vérifier la définition dans le dictionnaire des Écritures. Pour nous, "Amour" = Jésus Christ. Pour le reste, les événements et les tendances de ces dernières années ont conforté notre désir d'être présents aux quartiers défavorisés de nos grandes villes et de leurs banlieues. Trois demandes d'entrée en communauté, la plus grande durée de notre expérience de vie en cité, et la conviction que notre présence est signifiante et féconde nous obligent à préciser la forme de notre vie monastique en plein monde.* »

Cette relecture aboutit, dans la tradition monastique, à écrire une « règle ». Mais elle se veut avant tout pragmatique et modeste :

« *Il n'est pas question d'inventer de nouvelles "dévotions" et de revendiquer ainsi une "spiritualité" originale. Le Christ est venu dans un seul but : la rédemption de l'humanité. Et il n'a utilisé qu'une seule méthode : l'Incarnation. À la question : "Quelle est votre spiritualité ?", nous répondrons donc, avec saint Paul, qu'il n'y a qu'un seul Esprit [152] et que notre seul but est de coopérer à l'œuvre de salut du Christ.*

« *La question devrait plutôt porter sur l'originalité de notre charisme communautaire et de nos talents personnels. La question s'intéressera aux moyens : "Quelle est votre incarnation ?" Et la réponse sera : "Venez et voyez [153] !"*

« *Mais si la personne curieuse de notre vie ne veut pas partager nos conditions d'existence, il faudra qu'elle se contente de lire cette soixantaine de chapitres assez terre à terre, enracinés dans un contexte historique et géographique. Elle y trouvera le compte rendu nécessairement imparfait et incomplet d'une incarnation infiniment complexe, expression du Vivant. Elle y découvrira la trace d'un appel mystérieux et parfois indicible qui se révèle dans la durée et la profondeur de l'amour de Dieu, dans la "brise légère [154] " des rencontres ou dans le "tonnerre [155] " des événements.* »

Parmi les rencontres et les événements à vivre, j'ai la joie de préparer le baptême d'une petite voisine, qui a lieu dans notre paroisse le 31 août. J'entre aussi en contact avec John Kiser. J'ai lu son ouvrage sur Tibhirine, riche en approches complémentaires, spirituelles mais aussi sociales et politiques. Il a été touché par ce témoignage concret d'amour fraternel en pays majoritairement

---

(152) 1 Co 12,4-11.
(153) Jn 1,39.
(154) 1 R 19,12.
(155) Ex 19,19.

musulman. Notre archevêque, Bernard Panafieu, était aux funé-railles des moines. Il est fait cardinal en septembre 2003.

Mais la grande nouvelle de l'été, c'est l'arrivée de Xavier et Emmanuelle, connus par la paroisse, dans notre deuxième appartement. Ce jeune couple revient d'Afrique, lui professeur de mathématiques, elle de physique : il nous aidera pour l'accompagnement scolaire. Il introduira aussi un peu de mixité sociale à Saint-Paul : ils sont aixois, ce qui n'est pas rien à Marseille !

Le 25 décembre 2004 au matin, les événements heureux se poursuivent : je pars pour mon premier Noël en famille depuis quatorze ans. Quant au réveillon du Nouvel An, Karim et moi le passons à Saorge, un village classé des Alpes-Maritimes, typi-quement italien, où nous sommes invités par d'anciens voisins comoriens. La soirée est joyeuse et saine : pas d'alcool, pas de tabac, et danses rythmées mais très chastes. Tous les convives sont musulmans, sauf Karim, le directeur de la poste (marié à une Maghrébine) et moi-même.

Le 6 avril, je change de décor : je m'envole pour l'Algérie. Le site du Quai d'Orsay me déconseille cette destination *« sauf pour raisons professionnelles impératives »*. Pour moi, il s'agit de partager un peu la vie de Jean-Michel à Boudouaou et à Alger.

Mon séjour est d'un rythme intense. Je vois l'archevêque, le nonce, les prêtres et les religieuses de la capitale. Je participe à la liturgie et aux repas ecclésiaux. Mais ce qui me marque le plus, ce sont les rencontres avec les familles algériennes. Jean-Michel a établi des relations humaines très riches. Elles sont parfois bouleversantes tant les souffrances endurées sont grandes.

Je regrette que l'Algérie soit à la fois si accueillante et si mal-heureuse. Des stations de métro ont été construites, mais elles n'ont jamais été mises en service. L'eau a toujours du mal à arriver jusqu'aux robinets de la Casbah. Les rues d'Alger sont sales malgré la jeunesse désœuvrée qui pourrait mettre en valeur ce site magnifique.

L'Algérie va mieux sur le plan sécuritaire mais reste un pays en quête d'identité. Moi aussi, je traverse un passage difficile. C'est, paraît-il, le « démon de midi » ou « la crise du milieu de la vie ». De fait, je m'interroge : dois-je, après ces dix années marseillaises, « passer à autre chose » ? Ou dois-je ratifier mon choix : offrir à nouveau ma vie à Dieu et à mes voisins de Saint-Paul ?

Le 27 février 2005, je monte en voiture à la Sainte-Baume avec Pierre. J'ai décidé de cheminer spirituellement avec lui parce qu'il est un familier de la souffrance, comme le Serviteur d'Isaïe. Il est devenu, au fil des années, un confident respectueux, qui m'a confié ses propres épreuves intimes. Aujourd'hui, il me porte dans un silence où je devine le partage physique de mon tourment. En voiture, je lui dis tout ce que j'ai sur le cœur. La route est sinueuse et pentue. Nous arrivons à destination. Sur les hauteurs, le mistral emporte mes paroles dans le ciel bleu de Provence. La lumière, presque trop intense, semble implacable et crue. Le vent souffle à l'excès. Pierre est le seul tuteur qui me tient debout dans la tourmente. Je m'appuie sur lui, parce qu'il est décidément fragile et vulnérable… à l'amitié.

À cause de sa faiblesse et de ses épreuves, dans ma propre faiblesse et mes propres épreuves, il est profondément à l'écoute. Nous arrivons à la même conclusion : le Seigneur a quelque chose à nous dire ensemble. Il nous demande de le suivre dans la fidélité. Nous sommes en larmes, l'un et l'autre, mais c'est une grâce. Nous partageons le pain et le vin. Le chemin d'Incarnation continue.

Pour clôturer l'année académique à l'ISTR de Marseille, je savoure un spectacle sur Madeleine Delbrêl interprété par

Bruno Durand. Le président de l'Institut, Jean-Marc Aveline, me demande de dire deux mots de celle qui nous a beaucoup inspirés.

Au terme de la soirée, Henri-Louis Roche, directeur des éditions Nouvelle Cité, me propose de traduire le livre de John Kiser sur Tibhirine. Ce travail est comme la récapitulation de toutes mes vies antérieures : économiste, diplômé de Sciences Po, angliciste, Français, Américain, cistercien… Je redeviens tout cela l'espace d'un livre qui résume assez bien ce que je vis aujourd'hui, en communion avec des frères que j'ai connus directement pour quatre d'entre eux.

Je serai conduit à multiplier les conférences, les articles et les interviews. Sur KTO, Gaultier découvrira l'existence de la Fraternité ; dans *Panorama,* Jean-Pol trouvera le monachisme inséré en cité qu'il cherchait. Tous les deux nous rejoindront grâce à Tibhirine.

ABSTRACTIONS

En mars 2003, la directrice du lycée Lacordaire, qui se situe à dix minutes à pied de Saint-Paul, propose de m'embaucher. J'accepte ce changement de lieu de travail à condition que des lycéens nous aident pour l'accompagnement scolaire. Plus de quarante jeunes bénévoles s'ajoutent ainsi, chaque année, à la longue liste des étudiants et amis de la Fraternité qui ont participé à ce service. Tout fonctionne relativement bien jusqu'au jeudi soir 31 mars 2005.

L'aide aux devoirs vient de s'achever. Je raccompagne les lycéens comme d'habitude. En sortant de la cité, nous passons devant une voiture volée par trois jeunes gens. Le rodéo attire un petit groupe d'adolescents oisifs. Soudain, Adrien, l'un des lycéens, est saisi par le col, bousculé et jeté à terre. Dans l'empoignade, il perd sa chaîne de baptême. Les agresseurs prennent rapidement la fuite, mais je ne parviens pas à retrouver le médaillon. Tout de suite, un groupe d'adultes de la cité manifeste son indignation et propose son aide. Je suis obligé de quitter les lieux pour raccompagner sain et sauf le groupe jusqu'au lycée. Quand je rentre, un voisin m'interpelle : il a retrouvé le pendentif d'Adrien.

Comme d'autres agressions, qui s'étaient limitées au stade verbal ou à des jets de pierre, celle-ci s'en est prise aux « payots ». Les « payots », ce sont tous ceux qui n'habitent pas les cités. Acte absurde qui a visé un jeune homme venu aider gratuitement un enfant qui aurait pu être le petit frère ou la petite sœur de ceux qui l'ont perpétré. Les agresseurs n'habitaient pas Saint-Paul.

En somme, « les-jeunes-des-cités » ont agressé un « payot », tandis que les habitants de Saint-Paul ont entouré Adrien : ces jeunes gens ont attaqué une abstraction, née d'une imagination pervertie, entre autres, par trop de médias sensationnalistes et racoleurs. Mais nos voisins ont pris la défense d'une personne humaine bien réelle : Adrien, qui est venu aider Nouriati et Oussama. D'un côté, les stéréotypes d'un monde imaginaire, de l'autre, les prototypes du monde réel. Le passé, ce sont ces stéréotypes archaïques, figés et destructeurs ; l'avenir, ce sont des êtres de chair et de sang, des prototypes qui sont de vrais types, innovants, inclassables et constructifs.

« *L'hospitalité,* écrit Fred Bahnson, *est une œuvre de paix : elle brouille les frontières entre "eux" et "nous"* [156]. » Les « payots » de Lacordaire, en venant dans la cité, sont de salutaires tueurs d'abstractions – des « *abstract-busters* [157] ». Ces lycéens ne peuvent plus dénigrer les cités en général, car ils connaissent les enfants qu'ils aident en particulier. Il

---

(156) *School(s) for Conversion : 12 Marks of a New Monasticism,* op. cit., p. 159.
(157) Expression et analyse empruntées à Karim De Broucker, blog *Moine des quartiers,* printemps 2005.

est inconcevable, pour les enfants qu'ils aident, de décrier les « payots ». Il en ira de même pour leurs enfants, et les enfants de leurs enfants. Grâce à toutes ces rencontres, les murs de la haine finissent par tomber. *« Le monde en s'éclairant s'élève à l'unité »*, disait Lamartine.

Notre vision du monde est trop souvent caricaturale, binaire et idéologique. Ce soir, 28 avril, c'est Moussa qui me demande le sens du mot « contraste ». Comme Moussa est comorien, je place mon bras à côté du sien et lui explique qu'entre la couleur de sa peau et la mienne, il y a un « contraste » : *« Ta peau est noire, la mienne est blanche. »* Étonné, Moussa, du haut de ses huit ans, s'insurge : *« Non! Ta peau n'est pas blanche : elle est rose! Et la mienne n'est pas noire : elle est marron! »*

Oui, j'ai encore du chemin à parcourir pour convertir mon regard à la complexité et aux nuances de la réalité. Il faut savoir passer du noir et blanc à la couleur, du 1 au 24 bits, des approximations à la haute résolution! À l'heure où le monde entier parle en pixels, la précision de l'image s'impose. La chasse aux abstractions archaïques reste ouverte.

Cet après-midi, 2 mai, un homme sonne à la porte. Il n'est pas du quartier. Il me propose de lire la Bible. J'accepte et l'invite à s'asseoir. Apprenant que je suis catholique, il me lit un extrait du chapitre 17 du livre de l'Apocalypse. Il y est question d'une *« prostituée fameuse »*. Pour mon interlocuteur, aucun doute possible : il s'agit de l'Église catholique. *« L'Antéchrist »*, c'est le pape et tous ses ministres.

J'ai beau lui expliquer que l'exégèse moderne la plus sérieuse considère que la prostituée en question n'est autre que l'empire romain qui martyrisait les premiers chrétiens, il m'assure détenir l'unique et absolue vérité sur le sujet. Je connais la ritournelle, qui remonte à un texte vaudois de 1120 [158]. À bout de patience, j'accepte son interprétation :

« *Oui, mon Église est une prostituée. Ça fait deux mille ans que nous accumulons les péchés. Vous, vous appartenez à une belle et jeune communauté, vierge de toute faute. Vous pouvez faire la leçon au reste de l'humanité. Moi, je ne le peux pas : je suis une vieille péripatéticienne peu appétissante qui ne peut que pointer son doigt vers Jésus et le Dieu de miséricorde qu'il révèle.* »

Je demande alors de choisir à mon tour un passage de la Bible. Je propose la parole de Jésus en Mt 21,31 : « *Amen, je vous le déclare : les publicains et les prostituées vous précèdent dans le royaume de Dieu.* » Monsieur Propre n'est plus jamais venu sonner à ma porte. Peut-être vivait-il, lui aussi, dans l'abstraction faussement rassurante des « purs » (nous) et des « impurs » (les autres) ?

L'Église est une prostituée, mais elle compte aussi des pécheurs convertis qu'on appelle les saints. Le 5 mai 2005, je suis invité à l'inauguration de « la maison de Lorette », la demeure de Pauline Jaricot (1799-1862) enfin restaurée. J'ai grandi sous le regard de son père, Antoine, et de sa mère, Jeanne Lattier. Leurs portraits ornaient le salon de mes parents à Paris. Pauline est une de mes aïeules.

Ce qui m'a toujours touché, c'est son engagement en faveur des ouvriers alors qu'elle avait été élevée dans le confort matériel de la bourgeoisie industrielle de la première moitié du XIXe siècle. Cette mystique vécut sa foi à travers les réalités sociales de son

---

(158) « *La quatrième iniquité de l'Antéchrist, c'est qu'étant la prostituée de l'Apocalypse il se prétend la vraie et sainte Église, en laquelle se trouvent ministériellement, mais non autrement, le salut et la vérité. L'Église romaine serait abandonnée de tous si elle était démasquée* » (Jean-Paul PERRIN, *Histoire des Vaudois*, III, p. 225, Genève 1618).

époque, célibataire laïque en plein monde, avec quelques compagnes (dont certaines lui furent envoyées par le curé d'Ars).

Cette simplicité n'excluait pas de s'intéresser au monde extérieur, à travers les Missions en Asie. C'est ainsi que Pauline initia l'Œuvre de la propagation de la foi. Quand nos voisins frappent à la porte pour que nous les aidions à rédiger un CV et une lettre de motivation, remplir des papiers administratifs, ré-échelonner une dette auprès de la Banque de France ou engager des démarches judiciaires, notre appartement ressemble à la maison de Lorette. La mission internationale de Pauline continue sur le sol français et en Algérie.

Polycarpe (Jean-Claude) Jaricot, cousin de Pauline, fut prieur de Tamié de 1883 à 1888. Avant de rejoindre le monastère, il collabora avec Antoine Chevrier. Les habitants de la Guillotière appelaient le premier le « *petit saint* » à cause de sa taille. Le père Chevrier était le « *grand saint* » à cause de sa vertu. Il sut métamorphoser l'Église en refusant les murs de séparation qui diabolisent ceux que nous ne côtoyons pas. Comme lui et le poète américain Samuel Walter Foss, j'aime vivre au milieu de mes contemporains, saints ou voyous :

« *Bons ou mauvais, faibles ou forts, ils font des bêtises : moi aussi. Je ne veux pas être celui qui les juge de haut ou les méprise de loin. Laissez-moi donc habiter ma maison au bord de la route et être l'ami des hommes* [159] *!* »

---

(159) Samuel Walter Foss, *House by the Side of the Road*, 1897 (inspiré d'un vers d'Homère dans *L'Iliade*, chant 6).

SOUVIENS-TOI DE L'AVENIR !

Dès 1993, le groupe de rap NTM chantait « *Qu'est-ce qu'on attend pour foutre le feu ?* ». Le 27 octobre 2005, deux adolescents meurent électrocutés en tentant d'échapper à un contrôle de police en région parisienne : des émeutes urbaines éclatent à travers tout le pays. L'état d'urgence est décrété le 8 novembre. Suivent trois semaines de violence : les plus destructrices depuis mai 1968.

Elles nous rappellent que notre société n'est pas aussi paradisiaque que nos publicités voudraient nous le faire croire. Nous nous cachions derrière notre PIB : la France est une société riche mais « anxiogène ». C'est le mot qu'emploient les sociologues pour décrire le climat d'angoisse qui règne depuis longtemps dans l'Hexagone, champion du monde des ventes de calmants et autres cachets antistress.

La violence des enfants ne serait-elle pas la réaction à une hantise qui parcourt toute la société des adultes : celle d'échapper à la relégation dans la course aux « bonnes places », dans un jeu où chacun cherche à s'éviter plus qu'à vivre ensemble ? Certains chercheurs dressent un tableau sans complaisance de la ségrégation qui sévit actuellement en France.

Ils montrent que le problème des « banlieues » renvoie aux valeurs et aux stratégies de l'ensemble de la société. Chacun cherche à habiter dans un environnement social porteur. Revenus, diplômes, emploi, éducation, infrastructures sont corrélés au prix de l'immobilier. Chacun exclut la catégorie sociale immédiatement inférieure à la sienne. Les familles immigrées pauvres ne sont que le dernier maillon d'une chaîne implacable. Nous sommes tous responsables de ce jeu de chaises musicales dont les règles sont en totale contradiction avec l'Évangile.

Certes, on peut comprendre le triste constat d'Éric Maurin : « *Le "bon citoyen" qui, relativement diplômé et correctement rémunéré, irait s'installer par solidarité dans un quartier déshérité serait rapidement suspecté d'être un "mauvais parent"* [160]. »

Mais certains couples osent habiter en cité HLM par choix. C'est possible quand les enfants sont en bas âge, comme le prouvent depuis cinq ans nos amis Xavier et Emmanuelle Linares à Saint-Paul. Surtout, les célibataires de l'Église, eux, sont libres d'aller vivre dans ces lieux d'exclusion. Nos voisins sont nos frères et nos sœurs. Le Christ, tout Dieu qu'il était, est venu habiter parmi nous, les hommes. Il nous invite à le suivre en prenant la condition des habitants des cités : de Christ souffrant ils deviendront Christ de gloire !

Rompant avec la tradition de la IIIᵉ République rurale, l'instituteur et le maire n'habitent plus le village des familles modestes. Tous prononcent de vibrants plaidoyers en faveur de

---

(160) Éric Maurin, *Le Ghetto français, enquête sur le séparatisme social*, Seuil 2005, p. 85.

la « mixité sociale », mais ils ne la pratiquent guère. Ils acceptent le divorce territorial (logements sociaux), scolaire (carte scolaire), économique (chômage, précarité, bas revenus, minima sociaux, marché noir), religieux (islam) et ethnique (immigration). La mixité sociale ne serait-elle qu'un vœu pieux, masquant un système d'exclusion ?

Dans la dernière lettre [161] qu'il m'écrit, le 3 novembre 2005, Raymond Barre note que notre quartier est resté calme : « *Votre démarche à contre-courant est de très grande importance.* » Au printemps 2006, le cardinal Panafieu me propose la direction d'une école de mille cinq cents élèves. J'apprécie cette marque de confiance, mais je dois décliner son offre : elle m'éloignerait de mes voisins de Saint-Paul. Le choix d'un travail à mi-temps et notre logement doivent rappeler que la présence du Christ est concrète et que sa communion est totale.

Habiter avec nos voisins, c'est d'abord y planter notre oratoire : « Lectio divina *et Liturgie des Heures rythment la journée des membres de la Fraternité Saint Paul. L'étude, la méditation, l'oraison et la célébration des mystères de Dieu révélés dans l'histoire des hommes constituent la nourriture vitale pour avancer dans le Chemin de la Vérité et de la Vie* [162]. »

Dieu est partout, mais certains lieux sont nécessaires pour nous engager dans une relation fidèle avec lui. Pour durer, nous devons nous approprier un espace de recueillement et de louange. Dans l'écoute de la Parole de Dieu, par la rumination des psaumes et l'offrande de nos soucis et de nos joies, la prière liturgique construit la communauté, corps du Christ et temple

---

(161) Raymond Barre est décédé le 25 août 2007 à quatre-vingt-trois ans après avoir refusé, huit ans auparavant, une transplantation rénale. Il avait préféré en faire bénéficier quelqu'un de plus jeune que lui.
(162) « Les sept piliers de la Fraternité Saint Paul » (cf. annexe).

de l'Esprit : « *Que deux ou trois soient réunis en mon nom, je suis là au milieu d'eux* [163]*.* »

Les icônes, très présentes dans notre appartement, l'encens utilisé pour les vêpres des dimanches et fêtes, les fleurs et le chant monastique : tout ce qui parle à nos sens renouvelle notre cœur, notre fraternité et notre quartier. « *L'art est une des voies les plus émouvantes par lesquelles l'homme s'approche de Dieu* [164] », disait Maurice Zundel. Le sculpteur Auguste Rodin osait ce raccourci : « *L'art est une contemplation.* »

La prière liturgique et la *lectio divina*, croyons-nous, permettent de « *rendre compte de l'espérance qui habite tout disciple du Christ* [165] ». Le biologiste sait que la chenille se transforme en papillon. C'est un fait observable. L'espérance biblique est un fait, elle aussi. Elle s'appuie sur la manifestation régulière et concrète de l'amour de Dieu, sur son pouvoir de métamorphose.

Que de fois n'avons-nous pas entendu des voisins nous dire, les premiers temps à Saint-Paul : « *Vous dormez vraiment ici ?* » ou : « *Mais vous allez partir !* » Or Dieu n'est pas un déserteur. Il ne vit pas au dernier étage d'une tour d'ivoire à loyer immodéré. Il ne vocifère pas du haut d'un Ciel limpide, immuable et tranquille : « *Moins de bruit, en bas ! Ne troublez pas le silence de ma méditation éternelle !* » Non. Il vient. Il habite avec nous. Bonne nouvelle : il est notre voisin ! Pour de bon.

Un voisin, ce n'est pas un touriste. Le touriste prend des photos, puis s'en va. Le voisin apprend à connaître. Il prend le temps de la rencontre. Karima nous l'a dit un jour : « *Il y a toujours quelqu'un à qui parler chez vous.* » Le voisin accepte de souffrir avec ceux dont il habite le quartier. Il reste jusqu'au

---

(163) Mt 18,20.
(164) Retraite de Bourdigny.
(165) « Les sept piliers de la Fraternité Saint Paul » (cf. annexe).

dernier jour. Il accueille avec joie. Il est toujours là pour consoler. Il prend aussi le temps d'encourager.

L'espérance ne peut renaître qu'au terme de ce long chemin parcouru ensemble. « *Dieu est amour* [166] » : cette affirmation n'est crédible que si elle se constate. L'amour, la vie de Dieu, est palpable. Nassuf fait ce constat : « *Je ne connaissais pas de chrétiens. Mais maintenant je sais. J'en connais. Ce sont mes amis.* »

L'espérance brille sur les visages et se lit sur les murs : espérance de voir la beauté de Dieu dans un quartier souvent marqué par la saleté, la destruction et le bruit. Momo, un voisin qui chaque jour marmonne que la cité, décidément, est et sera toujours « *pourrie* » tient ses premiers propos positifs quand Jean-Michel nettoie la cage d'escalier, enfin rendue à ses couleurs originelles, sans graffitis ni insanités.

L'espérance de fraternité, elle aussi, se constate. Accueillir sans faire de différence entre les personnes, ça se voit. Dahabou observe : « *Vous, vous êtes de vrais moines parce que vous accueillez tout le monde chez vous.* »

L'espérance ne se nourrit pas de promesses lorsqu'elles sont régulièrement déçues. L'espérance se construit sur des faits, une histoire où Dieu se manifeste humblement, lentement, à travers nous, imparfaitement à cause de nous, mais réellement, simplement. Nous le savons tous, il y a des lieux où le passé malheureux rend l'espérance apparemment impossible. Il faut alors que le présent change. Et nos forces humaines semblent impuissantes à modifier le cours de l'histoire.

---

(166) 1 Jn 4,16.

Mais l'Esprit de Dieu, l'Esprit Saint, donne la lumière et la force : « *Souviens-toi de l'avenir !* », exhortent certains talmudistes. Le Dieu de l'Exode peut conduire chacun d'entre nous dans la Terre promise de la nouveauté : elle apportera des réponses inédites aux défis contemporains et témoignera de l'amour de Dieu pour tout homme. La métamorphose finale de l'humanité prend corps : le Christ est vraiment ressuscitant !

« *L'arbre qui tombe fait plus de bruit que la forêt qui pousse* », prévenait Gandhi. L'année 2006 est marquée par de nouvelles tensions entre Islam et Occident : affaire des caricatures de Mahomet publiées en septembre 2005 par un journal danois et diffusées quatre mois plus tard par certains médias internationaux ; réactions enflammées à une citation de Benoît XVI dans un discours à Ratisbonne sur les rapports entre foi et raison le 12 septembre 2006 ; menaces de mort proférées à l'encontre d'un professeur de philosophie, Robert Redeker, à la suite d'une tribune sur l'islam dans *Le Figaro* du 19 septembre 2006, obligeant l'intéressé à vivre sous haute surveillance sur le territoire même de la République française. Les deux guerres en Irak et la dégradation du conflit israélo-palestinien n'ont rien arrangé. Ceux qui visent les records d'audience en théâtralisant la violence tirent profit d'un voyeurisme sanguinaire, et ceux qui agissent par calcul politique engrangent de part et d'autre les bénéfices de la peur. Ce spectacle épuise-t-il pour autant la réalité ?

Par la prière, le travail, l'hospitalité et le partage, dans la pauvreté de la vie ordinaire, la forêt de l'espérance pousse chaque jour. À la cité Saint-Paul ou à Boudouaou, comme ailleurs, elle ne fait pas de bruit, mais elle pousse. Car l'espérance véritable est à portée de main : c'est le corps du Dieu vivant livré pour nous, tous les jours, dans notre humanité ; c'est…

Jésus

Christ

mort comme on ouvre une fenêtre [167]

La vie monastique en cité HLM n'est qu'un modeste témoignage de ce mystère fécond de la métamorphose spirituelle : dans l'humilité de la vie quotidienne naît un monde nouveau, ouvert et fraternel, fruit d'une promesse. Le Royaume de l'Amour est en marche. Une fraternité sans frontière est possible ici et maintenant.

---

(167) Karim DE BROUCKER, *Lumière profonde.*

ÉPILOGUE

Il est six heures du matin. Dans la pénombre de l'oratoire, Karim, Jean-Michel, Gaultier, Jean-Pol, Jeff, François et moi-même nous levons pour entonner cette hymne écrite le 4 décembre 2003 [168] :

Au cœur du monde
Se rassembler pour la louange.
Dans la nuit
S'entourer de silence.
Être dans la ville
Veilleurs ouvrant le Livre
Pour être ces disciples aux aguets
D'un mot, d'un signe.

Suivre le Christ

---

(168) Certains versets sont empruntés à une hymne pour la fête de saint Benoît écrite par la Commission francophone cistercienne.

203

Et habiter parmi les hommes.
Tout quitter
Pour accueillir le pauvre.
Tenir porte ouverte
À celui qui Te cherche.
Pouvoir entendre tous les péchés
Et vivre en Frères.

Dans l'étranger
Deviner Tes pas qui s'approchent.
Partager
Le savoir et le pain.
Dans la différence
Tendre Ta main vers l'Autre.
Apprendre aux enfants que dans le Ciel
Dieu seul est Juge.

Vivre sans peur
Dans la cité toute violence.
Demeurer
Une maison de paix.
Traduire en patience
Le désir du Royaume.
Ainsi dans la douceur de l'Esprit
Ton Jour se lève.

De la psalmodie, je retiens ce verset : « *J'examine la voie que j'ai prise : mes pas me ramènent à tes exigences* [169]. » À vingt ans, j'ai accueilli en moi le Seigneur des mondes :

---

(169) Ps 118,59.

204

En te reconnaissant, je me suis trouvé
Pleine et achevée sera ma vie
Riche de toi [170]

Cet hôte intérieur m'a donné la paix. Mais pas la tranquillité :
au fil des années, sa présence intime et vive m'a transformé. Elle
m'a jeté en plein vent, avec d'autres et pour d'autres :

Père

ton regard est le sol d'où je viens
et tout autre regard

tout autre visage ressemble
au tien [171]

Certains de mes voisins semblent porter sur leur dos les
ténèbres. Mais qui les connaît un peu sait qu'ils serrent aussi
dans leurs bras la lumière. Sous le ciel criblé de tours, j'entends
cet appel : reconnaître en chacun la présence de Dieu ; l'ho-
norer. « *Ce n'est pas seulement de votre vie que vous aurez à rendre
compte,* rappelle Jean Chrysostome, *mais du monde entier.* »
Avec Benoît XVI, ma pensée se tourne vers le moine Martin
de Tours, qui évangélisa la Gaule au IVᵉ siècle :
« *Presque comme une icône, il montre la valeur irremplaçable
du témoignage de la charité. Aux portes d'Amiens, Martin partage
en deux son manteau avec un pauvre. Dans le "face-à-face" avec
le Dieu qui est Amour, le moine perçoit l'exigence impérieuse de*

---

(170) Jean-Michel BEULIN, *Ribât es-Salâm,* n° 36.
(171) Karim DE BROUCKER, *Lumière profonde.*

transformer en service du prochain, en plus du service de Dieu, toute sa vie. Cela explique les initiatives de promotion humaine et de formation chrétienne considérables, destinées avant tout aux plus pauvres, pris en charge par les Ordres monastiques [172]. »

Je pense aux moines de Tibhirine. Le 5 avril 2005, une lettre manuscrite de deux pages parvenait de l'Académie française à la cité Saint-Paul : le président de la Fondation nationale des sciences politiques, René Rémond, m'encourageait dans mon travail de traducteur.

Le 18 avril 2006, je proposais au secrétaire d'état chargé de l'Aménagement du territoire, vieille connaissance sportive, d'organiser une visite du ministre des Cultes au monastère. Le futur président de la République française s'y rendait le 14 novembre 2006. Henri Teissier, Jean-Michel et plusieurs personnalités algériennes étaient là. Au cimetière, l'archevêque d'Alger relisait, dix ans après, le testament spirituel de Christian de Chergé : « *J'aimerais que ma communauté, mon Église, ma famille, se souviennent que ma vie était* donnée *à tous et à ce pays.* »

Plus d'« accueillants » ni d'« accueillis » : des frères. Dieu ne sépare pas les « nationaux » des « étrangers », ni les « chrétiens » des « non chrétiens », ni même les « pratiquants » des « non pratiquants ». Nous sommes tous en chemin : « *M'aimez-vous [173] ?* » dit simplement le Christ, visage de l'Amour insondable qui se livre dans un corps crucifié.

La prière s'achève : « *Nous rendons grâce à Dieu !* » Le mistral se réveille : il chasse les nuages. À Marseille, le soleil ne disparaît jamais très longtemps. Sous nos fenêtres, les enfants s'en vont à l'école, cartable sur le dos, mais cœur léger comme des ambas-

---

(172) BENOÎT XVI, lettre encyclique *Deus caritas est,* 40, 25 décembre 2005.
(173) Jn 21,17.

sadeurs de la joie : « *Sois sans crainte, petit troupeau, car votre Père a trouvé bon de vous donner le Royaume* [174] *!* » Avec eux, je m'élance dans la clarté du jour.

(174) Lc 12,32.

LES SEPT PILIERS
DE LA FRATERNITÉ SAINT PAUL [175]

Le décret *Perfectae caritatis* sur l'adaptation et le renouveau de la vie religieuse le rappelle : « *La norme ultime de la vie religieuse étant de suivre le Christ de la manière proposée par l'Évangile, cette norme doit être considérée par tous les Instituts comme leur règle suprême.* » Aimer Dieu et aimer notre prochain comme le Christ nous l'a enseigné par la parole et par l'exemple, voilà donc le but ultime de la Fraternité Saint Paul. S'agissant des moyens, le charisme propre de la communauté réside en la combinaison originale de sept piliers, suivant en cela le proverbe : « *La sagesse a bâti sa maison, elle a taillé ses sept colonnes* [176]. »

1) Célibat évangélique : Les membres de la Fraternité Saint Paul s'engagent à suivre Jésus dans le célibat en acceptant librement et avec joie cet appel particulier qu'entendent certains baptisés dans l'Église depuis les origines, comme l'attestent plusieurs

---

(175) Cf. http://pagesperso-orange.fr/frat.st.paul/
(176) Pr 9,1.

passages des évangiles et des lettres de l'apôtre Paul, et comme la tradition monastique n'a cessé d'en témoigner jusqu'à nos jours.

2) Prière quotidienne : *Lectio divina* et Liturgie des Heures rythment la journée des membres de la Fraternité Saint Paul. L'étude, la méditation, l'oraison et la célébration des mystères de Dieu révélés dans l'histoire des hommes constituent la nourriture vitale pour avancer dans le Chemin de la Vérité et de la Vie, et permettent, le cas échéant, de rendre compte de l'espérance qui habite tout disciple du Christ.

3) Logement : Les membres de la Fraternité Saint Paul vivent en cité HLM comme locataires ordinaires. Ils cherchent à rejoindre plus spécialement tous les blessés de la vie : le pauvre et l'étranger, la veuve et l'orphelin, les enfants et les jeunes en mal de reconnaissance. Une attention particulière est portée au dialogue interreligieux, lorsqu'il est possible.

4) Travail : Comme l'Apôtre lui-même, chaque membre de la Fraternité Saint Paul subvient à ses besoins en travaillant selon ses dons particuliers. Chacun veille à trouver un emploi à temps partiel pour consacrer le plus de temps possible à la prière, à l'hospitalité, et à l'entraide dans la cité.

5) Hospitalité : La Fraternité Saint Paul est tout autant tournée vers Dieu que vers les hommes, selon le témoignage du Seigneur lui-même, lui qui s'est fait le serviteur de tous jusqu'à mourir sur une croix. Aussi chacun prévoit d'être, chaque semaine, effectivement présent pour écouter, consoler, encourager, et accompagner celles et ceux qui viennent frapper à la porte. Par l'amitié

et le dialogue, les cœurs s'ouvrent à la rencontre de Celui qui nous envoie.

6) Entraide : Les membres de la Fraternité Saint Paul essaient d'aider les jeunes qui traversent des difficultés familiales et scolaires, les adultes en détresse et en recherche d'emploi, toute personne en quête de la main secourable de Dieu. Ils font appel, si nécessaire, à ces femmes et ces hommes de bonne volonté qui n'habitent pas le quartier mais veulent consacrer une partie de leur temps à rencontrer et accompagner des voisins.

7) Paroisse : La Fraternité Saint Paul participe, à part entière, à la vie paroissiale. L'Eucharistie du dimanche manifeste sa communion à l'Église locale et universelle. Chacun, dans la mesure de ses possibilités et de ses aptitudes, contribue à faire de la communauté paroissiale une cellule d'Église priante, missionnaire, attentive aux blessés de la vie et aux plus démunis.

Fraternité Saint Paul
Cité Saint-Paul
Bât. B1, Appt. 28
40, traverse de la Palud
13013 MARSEILLE
Tél. : 04 91 66 26 06
frat.stpaul@orange.fr
http://pagesperso-orange.fr/frat.st.paul/

LES DOUZE COLONNES
DU NOUVEAU MONACHISME [177]

En juin 2004, plusieurs communautés se sont réunies aux
États-Unis pour réfléchir ensemble aux principaux axes de vie
du « nouveau monachisme ». Ce rassemblement a abouti à une
déclaration commune insistant sur douze points caractéristiques.
La Fraternité Saint Paul, qui s'organise depuis 1997 autour de
sept piliers (célibat, prière, logement HLM, travail à mi-temps,
accueil, entraide, participation à la vie paroissiale), veut, à sa
manière, promouvoir ce mouvement de relocalisation de la vie
monastique dans les quartiers urbains pauvres de nos grandes
villes.

Déclaration commune

Mus par l'Esprit de Dieu en l'église Saint-Jean-Baptiste de

---

(177) *School(s) for Conversion : 12 Marks of a New Monasticism*, op. cit.,
pp. xii-xiii.

Durham, en Caroline du Nord (USA), nous souhaitons prendre acte de la naissance d'un mouvement de renaissance radicale, enraciné dans l'amour de Dieu et s'appuyant sur la riche tradition des pratiques chrétiennes qui ont formé durant des siècles des disciples dans la voie simple du Christ. Cette école de conversion pour aujourd'hui, que nous avons appelé « nouveau monachisme », accouche actuellement d'un œcuménisme de terrain et d'un témoignage prophétique d'expressions diverses mais caractérisé par les points suivants :

1) Relocalisation dans les banlieues déshéritées de la mondialisation.

2) Mise en commun des biens entre membres de la communauté et nécessiteux alentour.

3) Hospitalité envers les étrangers.

4) Repentance pour les divisions ethniques à l'intérieur de l'Église, et quête active d'une vraie réconciliation.

5) Humble docilité au corps du Christ, qui est l'Église.

6) Formation librement consentie à la voie du Christ et à la vie communautaire par un temps de noviciat.

7) Engagement à une vie communautaire pour les membres qui en font le choix.

8) Soutien des célibataires continents et des couples mariés monogames.

9) Proximité géographique des membres qui vivent le projet communautaire.

10) Protection de l'environnement que Dieu nous confie et soutien de l'économie locale.

11) Engagement pour la paix face à la violence et résolution des conflits selon Mt 18.

12) Engagement à une vie de prière régulière.

Que Dieu nous donne la grâce, par la puissance de l'Esprit Saint, de discerner les moyens qui nous aideront à incarner ces éléments dans nos contextes particuliers comme signes du Royaume du Christ pour le bien du monde voulu par Dieu!

TABLE DES MATIÈRES

Annexe 2

DANS LA MÊME COLLECTION

Dès leur naissance, les éditions Nouvelle Cité se sont caractérisées par la place accordée aux témoignages. C'est pourquoi elles peuvent vous présenter dans leur collection « Récit » plus de cinquante témoignages qui montrent, chacun à sa manière, comment la vie l'emporte toujours sur la mort.

En voici la liste complète, par ordre alphabétique de titres :

André Martinet, un homme, une terre, une spiritualité, Sylvie GARNIER
Anna au pays des merveilles, l'ecstasy meutrière, Bronwyn DONAGHY
Artisan de paix, Antoine BUISSON
Cambodge : Pour un Sourire d'Enfant, France de LAGARDE (l'aventure de Christian et Marie-France des Pallières, de leurs collaborateurs et de leurs 4 000 enfants)
Canard dans la couvée (Le), Michelle VANDENHEEDE (épuisé)
Cassie : du satanisme au choix de Dieu, Misty BERNALL (nouvelle édition)

Pour être tenu informé des publications des éditions Nouvelle Cité et recevoir notre catalogue, veuillez adresser vos coordonnées à :

Éditions Nouvelle Cité
Domaine d'Arny
91680 Bruyères-le-Châtel
France

ou à :

editions@nouvellecite.fr

NOM :...
Prénom :...
Adresse :...
....
Code postal :...
Ville : ....
Pays : ....
email :..

Je souhaite être informé(e) des publications de la maison d'édition Nouvelle Cité.

www.nouvellecite.fr

Achevé d'imprimer en janvier 2009
sur les presses de la Nouvelle Imprimerie Laballery
58500 Clamecy
Dépôt légal : janvier 2009
Numéro d'impression : 901105

Imprimé en France

La Nouvelle Imprimerie Laballery est titulaire de la marque Imprim'Vert®